Imágenes de América Latina

Sebastián Quesada

edelsa

GRUPO DIDASCALIA, S.A.
Plaza Ciudad de Salta, 3 - 28043 MADRID - (ESPAÑA)
TEL.: (34) 914.165.511 - FAX: (34) 914.165.411

Primera edición: 2001.

© Sebastián Quesada.
© Edelsa Grupo Didascalia, S.A.

Dirección y coordinación editorial: Departamento de Edición de Edelsa.
Diseño de cubierta: Departamento de Imagen de Edelsa.
Maquetación y fotocomposición: Quatro Comunicación, S.L.
Imprenta y encuadernación: Egedsa.

ISBN: 84 - 7711 - 586 - 9
Depósito legal: B - 42177 - 2001

Impreso en España
Printed in Spain

Fotografías:
Agesa (Sociedad Estatal Quinto Centenario): págs. 34 (Machu Picchu), 36, 39, 44, 45, 48, 51, 58 (Catecismo), 60, 63, 76, 78, 79, 84, 86 (Trabajos en el ferrocarril), 98.
• Alfaguara: pág. 110.
• Banco de México. Diego Rivera & Frida Kahlo Museums Trust: págs. 33, 105 (Frida Kahlo).
• Biblioteca Nacional: págs. 47, 66.
• Brotons: pág. 114.
• Cover: págs. 15, 16, 24, 119, 120 (Quito).
• Daniel García: 122 (Manifestación).
• El País: pág. 112.
• Federica Toro: pág. 27 (tango).
• ICEX. págs. 126-136 (Mapas).
• Javier Peña: págs. 10, 11, 102 (Canal de Panamá), 121 (Cafetal), 123 (Ciudad de Panamá), 124.
• Miguel Rojas Mix: págs. 22 (Cacau), 26, 43 (El Dorado), 64, 87, 88, 89, 91 (Voladura del Maine), 93, 100, 102 (A. Somoza), 104 (J.D. Perón), 106, 109, 111, 113, 116 (Salvador Allende), 121 (Caracas), 123 (San José).
• Museo de América: págs. 42, 48, 57, 58 (Virrey), 70.
• Museo Colombino: págs. 41, 49.
• Oswaldo Michelón: págs. 14, 86 (Buenos Aires), 116 (Buenos Aires), 118.
• Ramón de Alfredo: pág. 120 (Mujer y niño indígenas).
• Siglo XXI Editores: pág. 13.
• Vegap: págs. 18, 25, 79, 98.

Ilustraciones:
• Javier Ruiz Gil.

Notas:
• La Editorial Edelsa ha solicitado los permisos de reproducción correspondientes y agradece expresamente a los particulares, empresas privadas y organismos públicos que han prestado su colaboración.
• Las imágenes y documentos no consignados más arriba pertenecen al Archivo y al Departamento de Imagen de Edelsa.

 # Presentación

Siempre es motivo de satisfacción prologar un libro. Te concede su autor el enorme privilegio de poder transmitir a futuros lectores las impresiones que te ha causado la lectura de una obra hasta entonces desconocida para todos.

En el caso del presente manual, la satisfacción es doble, ya que, además, me ha llevado a recordar una de las etapas profesionales que más me han enseñado. En 1991 tuve la suerte de ser nombrado Director del Instituto de Cooperación Iberoamericana -en épocas del franquismo llevaba el histórico nombre de "Instituto de Cultura Hispánica"-, y aquello me sirvió para comprobar, en mi trabajo diario y en mis viajes, la importancia que para España tiene Iberoamérica.

Recuerdo aquella frase de Claudio Sánchez Albornoz, explicativa del origen de nuestra nación, "Castilla hizo a España, y Castilla la deshizo". Reflejaba la misma, para mí, la trascendencia que tuvo el fenómeno del descubrimiento de América para la consolidación de la unidad española, y también cómo, en los momentos en que la generación del 98 analizaba las consecuencias de la pérdida del Imperio colonial, nos habíamos dejado arrastrar por un excesivo pesimismo. Con más perspectiva histórica, cabría decir hoy que "Iberoamérica hizo a España". En efecto, nuestra realidad, no sólo cultural sino política, e incluso económica, debe tanto a nuestra presencia y expansión en tierras americanas que sin ella no seríamos lo que hoy somos. El español, aunque siempre pendiente de la unificación europea y deseoso de jugar un papel activo en la misma, no olvida nunca que su principal grandeza emana de esa realidad iberoamericana que compartimos con otros 400 millones de personas.

El desafío de hablar de Iberoamérica, de su pasado, de su presente y de su futuro, en un breve manual, que quiere ser sintético, pero también exhaustivo en todo aquello que tiene importancia para la historia, era enorme. Pienso, por ello, que acertó la Editorial Edelsa al encargar el trabajo a Sebastián Quesada, autor de manuales muy solicitados por los estudiantes de civilización y cultura españolas y profesional de dilatada experiencia en la dirección de organismos culturales españoles en el exterior.

Sebastián Quesada ha culminado con éxito su objetivo. Ha rendido así un gran servicio a unos y a otros: a nosotros los españoles, por recordarnos momentos claves de nuestra historia; a los iberoamericanos, por haber sabido ubicarlos en el lugar prioritario que les corresponde en la civilización occidental, y, sobre todo, a los estudiantes, a quienes ha proporcionado un valioso instrumento de estudio y reflexión.

Javier Jiménez-Ugarte
Ex-Embajador de España en Atenas

Prólogo

Este libro es un manual de divulgación, no un libro de tesis ni de investigación. Se dirige fundamentalmente a los estudiantes interesados en conocer la identidad, el pasado y el presente de los pueblos y de la realidad de Latinoamérica. Por esta razón se exponen en él los factores, acontecimientos y hechos que, creemos, mejor transmiten la imagen de tan complejo mundo.

No es tarea fácil sistematizar la historia y el presente de tantos y tan variados países, sobre todo a partir de su independencia a comienzos del siglo XIX. Para facilitar la comprensión, se ha puesto el énfasis en destacar los rasgos comunes a la mayoría de estos países y que dan carácter al conjunto del subcontinente.

Respecto a los nombres, se ha respetado, lógicamente, la voluntad de los latinoamericanos de llamar Latinoamérica a su continente. Sin embargo, por fidelidad a la realidad histórica, este nombre no se emplea para referirse a la América de la época colonial.

Este manual se complementa con un Material de prácticas que facilita el autoaprendizaje, la autoevaluación y la labor del profesor.

El autor

Índice

 # Índice

Latinoamérica. Retos y problemas

Mapa político de América Latina

El conjunto de países englobados bajo la denominación de Latinoamérica están comprometidos en una lucha por el desarrollo económico y la modernización de sus estructuras, por asegurar la democracia, garantizar la seguridad de sus ciudadanos, resolver las desigualdades sociales y entre las etnias y definir su propia cultura e interiorizarla como un bien colectivo.

Una cuestión previa: ¿Hispanoamérica, Iberoamérica o Latinoamérica?

América pudo haberse llamado Colombia, por Colón, su descubridor, pero este murió creyendo que había llegado a la India, sin comprender la magnitud, trascendencia y naturaleza de su hallazgo. América recibirá ese nombre por Américo Vespuccio, navegante italiano que dedujo, tras recorrer parte de las costas occidentales del Nuevo Mundo en expediciones portuguesas y españolas, que se trataba de un nuevo continente. El español Juan de la Cosa elaboró un mapa de las Indias en que estas aparecen aisladas, como un continente, pero su descubrimiento pasó desapercibido. Las noticias aportadas por Vespuccio indujeron al geógrafo alemán Martín Waldseemüller a llamar América (1507) al

Cataratas del Iguazú, Corrientes, entre Argentina y Brasil. La protección y conservación de la riqueza natural de América Latina es uno de los principales retos que tienen planteados los gobiernos americanos.

nuevo continente, nombre que se generalizó a partir de entonces, excepto en España, donde hasta el siglo XVIII se emplearon preferentemente los de Nuevo Mundo e Indias.

El conjunto de países americanos hispanohablantes y el Brasil ha recibido diversos nombres: Suramérica, que excluye a México, Centroamérica y los países del Caribe; Indoamérica, que no tiene en cuenta el componente europeo del subcontinente; Hispanoamérica, que se aplica sólo a los países de habla hispana; Iberoamérica, que incluye también al Brasil, y Latinoamérica o América Latina, inventado por los franceses en el siglo XIX, que no refleja la totalidad de la realidad sociocultural de tan vasto mundo. Sin embargo, este nombre se ha impuesto a todos los demás y es el preferido por los latinoamericanos. Curiosamente, el nombre de América se emplea en nuestros días sobre todo para referirse a los Estados Unidos de América.

Las lenguas y culturas ibéricas unifican a indios, negros, mestizos, mulatos y blancos. Es decir, que Latinoamérica es latina en la medida en que habla español y portugués y que posee una cultura ibérica, pues no se suelen incluir bajo tal denominación las Guayanas, Belice y las islas caribeñas de habla inglesa, francesa y holandesa.

La geografía

Las tierras americanas -42 millones de km^2- constituyen una gran masa continental aislada entre los océanos Atlántico y Pacífico y alargada entre los 71 grados de latitud norte y los 56 de latitud sur. Están divididas en dos extensos subcontinentes, el meridional y el septentrional, unidos por el estrecho istmo de Centroamérica.

El continente americano está recorrido al Oeste, de Norte a Sur, por una gran cordillera, "columna vertebral de América", que recibe los nombres de Rocosas, Gran Sierra Madre y Andes. Su gran altura, la gran extensión del continente entre el Ártico y el Antártico, y la doble influencia del Atlántico y del Pacífico son la causa de su diversidad climática -en América están presentes todos los climas, incluso los más extremos, ecuatorial, polar y desértico- y de la extraordinaria variedad de su vegetación natural.

La geografía

Mapa físico de América Latina

Las tierras situadas entre Alaska y Río Grande, frontera entre los Estados Unidos y México, corresponden a la América anglohablante, con la sola excepción de Quebec, donde se habla francés. Al sur de Río Grande y hasta la Tierra del Fuego, en el extremo meridional de Argentina, se extiende el subcontinente latinoamericano.

El subcontinente latinoamericano presenta rasgos geográficos muy variados y heterogéneos. Gran parte del mismo se encuentra en la zona intertropical, siendo esta la causa de la gran extensión de las selvas tropical, semitropical y ecuatorial. En los Andes se alzan las mayores alturas del continente: Aconcagua (6.959 m), en la provincia argentina de Mendoza. En el Altiplano boliviano se encuentran los asentamientos humanos más elevados del Planeta: La Paz, capital de Bolivia, es la ciudad situada a mayor altura entre todas las del mundo. La

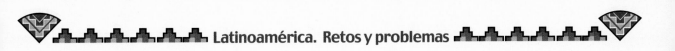

La geografía

gran elevación de la extensa cordillera dificulta las comunicaciones Este-Oeste y ha contribuido a la división política del subcontinente.

Entre las unidades estructurales del relieve de Latinoamérica destacan, además de la gran cordillera, las extensas llanuras de la Pampa argentina, en el centro del país, inmensa región de grandes recursos ganaderos; la planicie arenosa del Chaco, entre Bolivia, Argentina y Paraguay; la llanura de la Amazonia, regada por el caudaloso Amazonas, de 6.420 km de longitud, que está cubierta por la selva ecuatorial, actualmente sometida a una intensa sobreexplotación que pone en peligro su supervivencia y la de los indígenas que aún la habitan, y la sabana de los "Llanos" del Orinoco, en Colombia y Venezuela, pobre en vegetación arbórea. Extensas planicies hay también al norte de México, en Brasil y en las Guayanas. Las zonas más áridas se encuentran en Chile -Desierto de Atacama-, en la Patagonia, noreste del Brasil y norte de México.

Ni indios ni europeos. El mestizaje

Como señaló Simón Bolívar, los latinoamericanos no son ni indios ni europeos. Resultado de la colonización europea, de la importación de esclavos africanos y de las posteriores inmigraciones de europeos, el mestizaje étnico y cultural está presente en la totalidad del subcontinente. El nombre de plaza "de las Tres Culturas", que los mexicanos han dado a una de las más importantes de su capital, responde a la realidad multiétnica y multicultural del país y, por extensión, del subcontinente. Una placa, colocada en la citada plaza, dice: "El 13 de agosto de 1521, defendida heroicamente por Cuauhtémoc, Tlatelolco cayó en poder de Cortés. No fue triunfo ni derrota, sino el doloroso alumbramiento de la nación mestiza que hoy es México".

Gran número de italianos, españoles y portugueses se instalaron en Latinoamérica entre mediados del siglo XIX y los años treinta del XX. Les seguirían posteriormente contingentes de franceses, británicos, alemanes, eslavos, sirios, turcos y japoneses. Tras la Segunda Guerra Mundial y hasta mediados de los cincuenta, Argentina, Brasil y Venezuela eran todavía puntos de destino de la emigración europea. Los blancos son mayoría en Argentina, Uruguay, Costa Rica y Cuba, aunque en estos dos últimos países hay también un alto índice de mestizos y de negros. En México, Perú, Bolivia, Ecuador y Guatemala son numerosos los aborígenes y los mestizos. Estos son mayoría en Paraguay, Venezuela, Honduras, El Salvador, Nicaragua y Colombia. El mestizaje es singularmente intenso y variado en Brasil. Como siempre a lo largo de la historia del continente, los blancos ostentan todos los poderes y están situados en el vértice de la pirámide social.

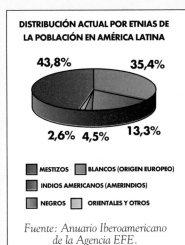

DISTRIBUCIÓN ACTUAL POR ETNIAS DE LA POBLACIÓN EN AMÉRICA LATINA

43,8%   35,4%

2,6%   4,5%   13,3%

- ■ MESTIZOS   ■ BLANCOS (ORIGEN EUROPEO)
- ■ INDIOS AMERICANOS (AMERINDIOS)
- ■ NEGROS   ■ ORIENTALES Y OTROS

Fuente: Anuario Iberoamericano de la Agencia EFE.

El problema de los aborígenes

En los años treinta del pasado siglo, los gobiernos latinoamericanos tomaron conciencia de la necesidad de acabar con la marginación de las poblaciones indígenas mediante su integración en las nuevas sociedades. El Congreso Indigenista de Pátzcuaro y la creación del Instituto Indigenista Interamericano en 1940 marcaron el comienzo del indigenismo político, que se concretó en la creación de organismos especializados en la cuestión indígena. Sin embargo, la tradicional exclusión social, política y económica de las minorías étnico-culturales no ha cambiado sustancialmente en nuestros días. Los aproximadamente 40 millones de indios, divididos en unas 400 etnias, continúan aún marginados e incluso perseguidos en algunas zonas. Son el sector social más pobre de todo el continente, y en todos los países se encuentran en el último lugar de la escala social. Las denuncias de Rigoberta Menchú, Premio Nobel de la Paz 1992, el exterminio a que están sometidos los pueblos amazónicos y

El problema de los aborígenes

los acontecimientos de Chiapas (México), por citar algunos ejemplos, ponen de manifiesto la permanencia y actualidad del problema.

Tribu de los indios chocloes en el interior de Panamá.

PRENSA

"El juez de la Audiencia Nacional Guillermo Ruiz Polanco ha admitido a trámite la denuncia de la Premio Nobel de la Paz Rigoberta Menchú contra el presidente del Congreso de Guatemala, Ríos Montt, y otros siete ex altos funcionarios de ese país por el presunto genocidio del pueblo maya. No investigar los hechos sería "una alcahuetería imperdonable y prevaricadora", dice el juez. El fiscal se opuso a la apertura de este proceso."

En ABC. 19-3-2000.

Especial gravedad reviste el hecho de que la integración del indio suele significar la desaparición de sus culturas ancestrales, fenómeno que se ha incrementado con la internacionalización de las formas de vida. Además, en sus países de origen, esas culturas suelen ser implícitamente consideradas poco permeables a las innovaciones y, por tanto, un obstáculo para el desarrollo.

Como consecuencia de su marginación, los indios se sienten más miembros de su grupo sociológico-cultural que de los estados en los que están englobados, razón por la que plantean sus demandas a través de asociaciones al margen de los cauces habituales de representación popular: Coordinación Regional de los Pueblos Indios de América Central, Consejo Indio de América del Sur, Coordinadora de las Organizaciones Indígenas de la Cuenca Amazónica, etc. Suelen reclamar el reconocimiento de sus derechos tradicionales, de sus lenguas y culturas, de sus leyes tradicionales, la propiedad de sus tierras y la protección de sus hábitats. Las organizaciones indias se opusieron a la celebración del Quinto Centenario del Descubrimiento (1992) y rechazaron este término para denominar un hecho histórico al que consideran el primer encuentro con los europeos. El eco de las reclamaciones indígenas en los organismos internacionales y la creación de la asociación Quinientos Años de Resistencia Indígena, Negra y Popular ponen de manifiesto que los indios americanos no están solos en sus reivindicaciones frente a la sociedad dominante.

La exclusión social

En la práctica totalidad del subcontinente no existe correspondencia entre los marcos jurídico-políticos, formalmente democráticos, y la realidad social, en la que prevalecen la falta de equidad y las relaciones de dominio. A la justicia y a los derechos ciudadanos proclamados por los textos constitucionales se oponen la pobreza y la marginación de casi la mitad de la población. Los agravios a los derechos humanos, el racismo, el abuso de poder, la violencia social y de Estado, la corrupción y la inseguridad ciudadana, son frecuentes en la totalidad de los estados latinoamericanos.

La exclusión social

La pobreza, derivada de la injusta distribución de la riqueza y de los beneficios que genera, es el problema más grave y extendido. La relativa estabilidad política y el también relativo crecimiento económico de los últimos años no han producido mejoras sociales ni rebajado los índices de pobreza. Según el Banco Interamericano de Desarrollo (BID) y la Comisión Económica para América Latina y el Caribe, entre 150 y 200 millones de latinoamericanos son pobres. Por ejemplo, sólo en Brasil hay unos 40 millones de pobres, y el 30% de los mexicanos viven miserablemente.

La aplicación del neoliberalismo económico ha incrementado las injusticias sociales, la desprotección de los trabajadores y su segregación -favelas brasileñas, villamiserias argentinas, tambos bolivianos, barriadas peruanas, etc.- en condiciones de extrema pobreza, similares a las de los obreros europeos de comienzos de la revolución industrial. La miseria es la causa de la inseguridad de muchas ciudades latinoamericanas. La pobreza arroja a la calle a miles de niños y adolescentes que sobreviven del robo, de la venta de droga, de la prostitución y, en el mejor de los casos, de trabajos circunstanciales y mal remunerados. Estos niños -"gamines" colombianos, "meninos da rua" brasile-

Típica imagen de un mercado de Santo Domingo, en la República Dominicana.

ños, etc.- suelen ser víctimas de la violencia de la policía y de las bandas paramilitares. Según el Banco Internacional de Desarrollo (BID), cien niños mueren a diario en Brasil por malos tratos.

El sector laboral más desasistido es el de los braceros agrícolas, a los que la necesidad obliga a emigrar y, en ocasiones, a ocupar tierras, de las que son violentamente expulsados por los grandes propietarios. Este problema es especialmente grave en Brasil, donde las víctimas mortales de este tipo de represión ilegal se cuentan ya por centenares, y donde el Movimiento de los Sin Tierra (MST) se ha convertido en una importante fuerza social. La pobreza de los campesinos sin tierra suele aliviarse en algunas zonas de los países andinos con el cultivo de la coca -Perú es el primer productor mundial-, cuya venta para la elaboración de la cocaína proporciona ingresos muy saneados. La sobreexplotación del suelo y de los recursos madereros y la roturación indiscriminada están produciendo daños ecológicos irreparables y destruyendo inmensas extensiones de bosques y selvas.

Grave problema y de difícil solución es el del narcotráfico, sobre todo en Colombia, Bolivia y Perú, a causa de los grandes beneficios -mueve unos cinco billones de dólares al año en Colombia- y de la corrupción que genera. Además, grupos guerrilleros como el peruano Sendero Luminoso y los colombianos Ejército de Liberación Nacional (ELN) y las Fuerzas Armadas Revolucionarias de Colombia (FARC) están relacionados con este comercio ilegal.

La exclusión social procede también de las carencias en materia educativa. El índice de analfabetismo medio continental es muy alto. Caso extremo es el de Guatemala, donde casi la mitad de la población es analfabeta. Las escasas inversiones en investigación y desarrollo -0,3% del PIB, similar al del África subsahariana- dificultan y encarecen el desarrollo tecnológico e industrial.

Los poderes fácticos y la violencia política

Los ejércitos, cárteles del narcotráfico y oligarquías suelen mediatizar a los gobiernos y mantener una permanente vigilancia sobre la actividad política. Los sindicatos y los partidos políticos, frecuentemente de ideologías mal definidas y acomodaticias a las circunstancias, suelen defender más intereses corporativos que generales. La eliminación física de los opositores políticos y los métodos expeditivos -secuestros, violaciones, extorsiones, desaparición de detenidos, etc.- han sido, todavía a finales del siglo XX, recursos frecuentemente empleados como forma de conquista del poder o de permanencia en el mismo. Baste recordar al general chileno Pinochet y a las juntas militares argentinas. En los años ochenta desaparecieron las dictaduras paraguaya, boliviana, argentina, uruguaya, brasileña y chilena; sin embargo, los militares impusieron su control sobre los procesos de transición hacia la democracia y sobre los gobiernos democráticos. A pesar del auge de las ideologías centristas, democracia cristiana y socialdemocracia sobre todo, a comienzos del siglo XXI aún no se ha alejado la posibilidad del golpe militar y del uso de la violencia para imponer el cambio político. Las guerrillas, las contraguerrillas y los grupos paramilitares y terroristas constituyen aún una seria amenaza para la paz en países como Colombia. Por otro lado, aún no se ha conseguido hacer de los derechos ciudadanos garantizados en las constituciones algo más que simples declaraciones de principios. La corrupción administrativa, extendida por todo el subcontinente, genera inseguridad jurídica y desconfianza hacia los sistemas democráticos.

> *"La gobernabilidad no está completamente asegurada en la región. Es verdad que en las últimas décadas América Latina consiguió recuperar la democracia y superar así el movimiento pendular que la mantuvo durante muchos años, en los términos de Touraine, entre la "palabra" de los movimientos populistas y la "sangre" de las dictaduras militares. Sin embargo, las democracias latinoamericanas se hallan aún en período de convalecencia y siguen amenazadas por problemas como el narcotráfico, el terrorismo, el renacer del armamentismo y una pérdida creciente de legitimidad como consecuencia del daño social que ocasionó la apertura brusca de sus economías al terminar el decenio de los ochenta".*

En "Renovemos el sueño", de Ernesto Samper, expresidente de Colombia. *El PAÍS.* 28-6-1999.

Unas economías en vías de desarrollo

El grado de desarrollo y de estabilidad económica de los países latinoamericanos no es uniforme. Sin embargo, todos se encuadran en el grupo de los llamados "en vías de desarrollo". El PIB de Iberoamérica representa el 8,4% del mundial.

La industria está escasamente desarrollada y desigualmente distribuida. Sólo Chile, Brasil, Argentina y México disponen de un equipamiento y de una producción industriales de cierto nivel. La dependencia tecnológica del exterior y el alto índice de endeudamiento externo constituyen, como siempre, un obstáculo para su desarrollo. La agricultura es el sector fundamental de la actividad económica, ocupa a la mayoría de la población activa -entre el 40% y el 60%- y proporciona los principales productos de exportación.

La orografía, las extensas zonas selváticas y los intereses de unas economías tradicionalmente dependientes de los mercados extranjeros han impedido que las vías de comunicación respondan a criterios de colonización racional del espacio. La carretera se ha impuesto al ferrocarril como medio de transporte y comunicación en la práctica totalidad del subcontinente.

PRINCIPALES INDICADORES ECONÓMICOS DE AMÉRICA LATINA

	1995	1996	1997	1998	1999
PIB	1,0	3,6	5,4	2,3	0,1
PIB/HAB.	-0,7	1,9	3,7	0,7	-1,5
INFLACIÓN	25,8	18,2	10,4	10,3	8,6
PARO	7,2	7,7	7,3	8,0	9,5

Fuente: CEPAL.

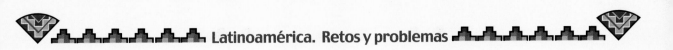
Unas economías en vías de desarrollo

Los gobiernos latinoamericanos, excepto el cubano y el venezolano, han aceptado las recomendaciones neoliberales del Fondo Monetario Internacional (FMI) -privatizaciones, contención de salarios, reducción de los déficits y de la deuda externa, etc.-, a la vez que impulsan los procesos de integración regional en zonas de libre comercio. Sin embargo, esta no se está llevando a cabo sin dificultades, como pusieron de manifiesto las disensiones surgidas en el seno de Mercosur entre sus dos principales socios, Argentina y Brasil, cuando este país anunció a finales de 1999 la devaluación de su moneda, lo que significaría la invasión de Argentina por los productos brasileños y la drástica reducción de las exportaciones argentinas a Brasil. La primera cumbre de Jefes de Estado y de Gobierno de la Unión Europea, América Latina y el Caribe (Río de Janeiro, junio de 1999) abrió la vía hacia la creación de una extensa zona eurolatinoamericana de libre comercio, que tendrá, de conseguirse, una importancia capital en las relaciones económicas internacionales. En la Cumbre Sur de La Habana (abril de 2000), que criticó el neoliberalismo y la globalización, Fidel Castro pidió la desaparición del Fondo Monetario Internacional, la unión de todos los países pobres y la condonación de su deuda externa. La Primera Cumbre Suramericana, celebrada en Brasilia a comienzos de septiembre de 2000, impulsó la creación de una zona de libre comercio en 2002. Los partidarios de la creación del Área de Libre Comercio de las Américas (ALCA) confían en que esta organización esté operativa en 2005.

El libro de Eduardo Galeano tuvo una gran repercusión debido a la denuncia de los abusos históricos cometidos por las potencias colonizadoras en el subcontinente americano.

En la Cumbre Social de Porto Alegre (Brasil, enero de 2001), organizada por el director de *Le Monde Diplomatique* y el gobernador del Estado de Espíritu Santo do Sul (Brasil), se defendieron nuevas formas de diálogo entre los países ricos y pobres, y soluciones alternativas a la mundialización y al neoliberalismo proclamados por los asistentes al Foro Mundial de Davos.

La mayoría de los países latinoamericanos arrastra todavía las consecuencias de la crisis asiática de 1997, que tuvo efectos muy negativos en la zona: reducción de las exportaciones y de los ingresos de divisas, paro, huida de capitales y crecimiento de los déficits comerciales y de la deuda externa. Sin embargo, varios estados han comenzado a estabilizar sus economías. Chile y México son los países que mejor han superado la crisis.

> *"La economía chilena es una de las más sólidas de toda el área iberoamericana. Se observa ya que, por eso, comienza a crecer con denuedo. La tasa anual de crecimiento de la producción industrial, en febrero de 2000, se ha situado en un 6'6%; en ese mismo mes, la inflación, que había sido de un 8'9% en el primer año -recuérdese, 1994- de la Administración Frei, se situaba en tasa anual en un 3'3%. En 1999 la balanza comercial tenía un superávit de 1.664 millones de dólares y la balanza por cuenta corriente estaba equilibrada. La Bolsa, por su parte, en dólares y respecto al 31 de diciembre de 1999 había incrementado su índice de cotización el 12 de abril de 2000 en un 3'1%. Añadamos a esto, como prueba de la citada solidez de la economía chilena, según los medios financieros internacionales, que el pronóstico promedio de The Economist publicado el 15 de abril de 2000 mostraba un crecimiento previsto para el PIB de Chile, en el año 2000, del 5'5% y del 5'8% para el 2001, lo que situaba a esta nación con el porcentaje de aumento más alto de los países importantes de la región iberoamericana, aunque, eso sí, pasando a tener un déficit por cuenta corriente del 2'1% respecto al PIB en el año 2000 y del 3'2% en el 2001".*

En "Chile, o una tranquila economía", de Juan Velarde. *Época*, nº 793. 7-5-2000.

IMÁGENES DE AMÉRICA LATINA

El crecimiento demográfico y el auge del urbanismo

CIUDADES MÁS POBLADAS DE AMÉRICA LATINA (en millones de habitantes)	
1 México D. F.	15.012.848
2 Buenos Aires	10.911.000
3 Sao Paulo	10.406.166
4 Lima	7.496.831
5 Río de Janeiro	5.850.544
6 Santiago de Chile	5.076.808
7 Caracas	3.435.795
8 Guayaquil	1.973.880
9 Guadalajara	1.632.216
10 Montevideo	1.396.760

Fuente: Anuario Iberoamericano 2001. Agencia EFE.

La superpoblación de un buen número de las capitales americanas, y los problemas a ella asociados, es una de las cuestiones que más preocupa a los gobiernos americanos.

La población latinoamericana -438 millones en 1990, 450 millones a comienzos del siglo XXI- está desigualmente distribuida: se concentra en las llanuras litorales, mientras que el interior está escasamente poblado, con densidades ínfimas en la Amazonia, en las pampas argentinas y en las regiones australes. La densidad media continental es de 22 habitantes por km². A la desigual distribución de la población se añade como factor de desequilibrio el alto índice generalizado de crecimiento demográfico -3% anual en algunas zonas-, excepto en Argentina, Uruguay y el Caribe. El ritmo de crecimiento de la población urbana es muy alto. El 22% de la población vive en aglomeraciones urbanas de más de cuatro millones de habitantes. Entre las grandes ciudades latinoamericanas, México, San Pablo, Buenos Aires y Río de Janeiro son las mayores. La presión demográfica, el aumento constante del número de jóvenes -entre el 30% y el 40% de los latinoamericanos tienen menos de 15 años- que intentan incorporarse al mundo laboral, de muy limitadas posibilidades, y las deficiencias y carencias en los servicios básicos son origen de problemas y tensiones.

La falta de trabajo y de perspectiva de mejora de las condiciones de vida obliga a los latinoamericanos a la emigración. Así, Latinoamérica ha dejado de ser un continente receptor de inmigrantes y se ha convertido en emisor de emigrantes. Los Estados Unidos, que concentran el mayor número de inmigrantes latinoamericanos, unos 30 millones, encuentran grandes dificultades para impedir la inmigración clandestina de los "espaldas mojadas" a lo largo de la frontera de Río Grande y de los "balseros" en las costas de Florida. España es también receptora de un importante flujo de inmigrantes latinoamericanos, sobre todo ecuatorianos, colombianos, dominicanos y, en menor medida, argentinos y cubanos.

La construcción de la ciudad de Brasilia, en el interior de Brasil, representó una alternativa, en parte fracasada, a la superpoblación de las zonas costeras del continente.

La progresión de las clases medias

La industrialización y el desarrollo del sector servicios a partir de los años cincuenta han sido importantes factores de modernización y de transformación de la estructura socioeconómica de varios países latinoamericanos, que han dejado de ser exclusivamente agrícolas y productores y exportadores de productos primarios. El desarrollo económico ha propiciado el auge de las clases medias, sector social ideológicamente moderado, liberal y demócrata, que rechaza por igual los extremismos revolucionarios y el ultraconservadurismo. De hecho, la mayoría de los dirigentes políticos elegidos democráticamente proceden de esta burguesía media, que ha desplazado del poder a las oligarquías tradicionales. La nueva burguesía es, por consiguiente, agente del cambio social y factor de estabilidad política.

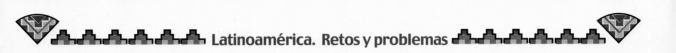
La situación de la mujer en las sociedades latinoamericanas

Como en la mayoría de las sociedades contemporáneas, también en Latinoamérica encuentran las mujeres más dificultades que los hombres a la hora de conseguir un empleo, reciben salarios medios inferiores a los de sus compañeros, sufren más las consecuencias de la debilidad de los estados y de las democracias, y el número de analfabetas es superior al de analfabetos. La discriminación es más intensa entre las mujeres campesinas e indias. Como consecuencia de su marginación, la mujer iberoamericana está obligada a realizar un esfuerzo adicional en defensa de sus derechos, de ahí su participación activa en los movimientos guerrilleros y la proliferación de asociaciones feministas. La cantante argentina Mercedes Sosa, autora de temas libertarios, ha asumido en sus canciones la defensa de la mujer, sobre todo de las adolescentes ibero-americanas.

El movimiento feminista latinoamericano comenzó en vinculación con el movimiento obrero. La Primera Conferencia de la Comisión Interamericana de Mujeres, reunida en La Habana en 1930, denunció el retraso en el reconocimiento de los derechos civiles y políticos de la mujer. Ecuador fue el primer país latinoamericano en reconocer el voto femenino (1929), reconocimiento que se generalizó a partir de los años cuarenta -República Dominicana (1942), Chile (1949), Perú (1955), Colombia (1957), etc.-, siendo Paraguay el último en hacerlo en 1961.

El éxito internacional de la escritora chilena Isabel Allende, que se traduce en millones de ventas de sus libros en todo el mundo, representa la cara amable de la situación de muchas mujeres en América Latina.

PARTICIPACIÓN EN LA ACTIVIDAD ECONÓMICA DE AMBOS SEXOS POR GRUPOS DE EDAD (1998-1999)

Sexo	Grupos de edad				
	15 a 24	25 a 34	35 a 44	45 a 59	60 y más
Mujeres	42,4	64,5	66,6	53,6	19,8
Hombres	61,5	95,1	97,1	91,9	48,5

Fuente: CEPAL.

Un subcontinente esencialmente católico

La mayoría de los latinoamericanos, el 90%, se declara de religión católica. El catolicismo latinoamericano reviste, con frecuencia, singulares formas ceremoniales e incluso en la concepción misma de la espiritualidad. Este hecho se debe al sincretismo religioso de raíz indígena y africana. El "catolicismo popular" o "religiosidad popular" combina cristianismo y formas de religiosidad prehispánicas. Las prácticas espiritistas están muy extendidas en el Caribe y Brasil.

La catolicidad de Latinoamérica es fruto de su historia: españoles y portugueses justificaron sus conquistas con argumentos religiosos.

Con estos antecedentes no es extraño que la Iglesia también desempeñara un papel de primer orden en la sociedad poscolonial, en la que continuó gozando de gran ascendencia social y de gran autoridad moral, e incluso en la actualidad. Su papel ha sido de diferente signo según el tiempo y las circunstancias: factor de integración, por ser el catolicismo la religión mayoritaria y común a todo el subcontinente, y también de disociación, al haberse polarizado la sociedad, a veces, entre clericales y anticlericales. El anticlericalismo ha sido también expresión del rechazo de los creyentes al apoyo prestado ocasionalmente por la Iglesia

a algunos regímenes oligárquicos. La llamada Teología de la Liberación, que se tratará en el último capítulo, es la manifestación suprema del compromiso social de la Iglesia.

La presencia del protestantismo y de otras religiones cristianas, sobre todo en Brasil, Chile y Centroamérica, se debe a la influencia de los Estados Unidos. Los cristianos no católicos se han desentendido siempre de las cuestiones sociales y políticas, por lo que algunos autores los consideran instrumento de la reacción contra el catolicismo social. Entre las religiones no cristianas, la judía tiene numerosos adeptos en Argentina y Brasil.

Las relaciones interamericanas

Las relaciones interamericanas han estado presididas desde la Segunda Guerra Mundial por el intervencionismo de los Estados Unidos, potencia dominante en la zona. Los Estados Unidos han apoyado la colaboración de los gobiernos latinoamericanos en cuestiones de interés común y la creación de zonas de libre comercio. Por esta razón fue realmente significativa su ausencia en la Primera Cumbre de Jefes de Estado y de Gobierno de la Unión Europea, América Latina y el Caribe (Río de Janeiro, 1999), a la que no fueron invitados.

Cumbre de Río. 1999.
Las reuniones de jefes de Estado de los países iberoamericanos tratan de afianzar los lazos de amistad y cooperación entre las naciones con un idioma y un pasado comunes.

PRENSA

"Democracia: las dos regiones se comprometen a "preservar la vigencia plena e irrestricta de las instituciones democráticas" y a celebrar procesos electorales "libres, justos y abiertos". Se subraya la importancia de la contribución de la sociedad civil.

Relaciones internacionales: "Pleno respeto" al derecho internacional y a los principios de no intervención, soberanía e igualdad entre Estados y a la autodeterminación. Las relaciones económicas y financieras se basarán en una liberalización comercial integral y equilibrada, en el libre flujo de capitales y en la promoción de la cooperación educativa, científica, tecnológica, cultural y social.

Comercio: Promover una liberalización "mutuamente beneficiosa" del comercio. La Organización Mundial del Comercio (OMC) es el "foro principal" para fomentarla.

Inversiones: Mejorar los niveles de inversión y estimular un "clima favorable para los flujos financieros y la inversión productiva", así como apoyar con inversiones a los países más pequeños.

Deuda: Apoyo a la decisión del G-8 de condonar parte de la deuda de los grupos "más vulnerables", y prioridad a la lucha contra la pobreza y las desigualdades.

Medio ambiente: Revertir la degradación ambiental y promover el desarrollo sostenido mediante la conservación de los recursos naturales.

Educación: Incorporar el conocimiento científico y el avance tecnológico a los sistemas educativos de todos los niveles de enseñanza y promover el derecho a la educación y a la formación profesional para mejorar las condiciones de vida, lograr la igualdad social y el progreso científico.

Terrorismo: Fortalecer las acciones "individuales y conjuntas" contra el terrorismo en "todas sus formas y manifestaciones".

Corrupción: Combatir "este grave problema que erosiona la legitimidad y el funcionamiento de las instituciones" y que es "una amenaza para la democracia, la sociedad, el estado de derecho y el desarrollo".

Armas: Intensificar el proceso de desarme con énfasis en las armas nucleares, químicas y biológicas; defender la adhesión al Tratado de no Proliferación de Armas Nucleares, y apoyar la lucha "contra la acumulación excesiva y desestabilizadora de las armas ligeras".

Puntos principales de la *Declaración de la Cumbre de Río* -28 y 29 de junio de 1999-, en *España 99. Revista de la Oficina de Información Diplomática.* Julio. Número 300. Año XXVIII. Segunda Época.

Las relaciones interamericanas

Factores de integración iberoamericana son las zonas de libre comercio, que han creado marcos de intereses comunes; la apuesta de la mayoría de los gobiernos por la democracia y por la economía de mercado, y las cumbres iberoamericanas -la primera tuvo lugar en Guadalajara (México), en 1991-, en las que los jefes de Estado y de Gobierno de Iberoamérica, España y Portugal concilian sus puntos de vista sobre la defensa de la democracia, el desarrollo socioeconómico y los problemas de la globalización. Respecto a Cuba, los líderes latinoamericanos suelen coincidir en su oposición al embargo impuesto por Estados Unidos, que sólo estaría perjudicando al pueblo, a la vez que rechazan el modelo castrista de economía planificada y de ausencia de libertades.

Las inversiones extranjeras y la cooperación española

Las inversiones extranjeras son un importante motor de las economías iberoamericanas. Las inversiones norteamericana, de la Unión Europea y japonesa ascendieron en 1998 a 43. 842 millones de euros. Las inversiones española y norteamericana suman el 62,6% de las inversiones extranjeras en América Latina. España es el país de la Unión Europea que más invierte en la región: cinco billones de pesetas en 1999. Telecomunicaciones, banca, seguros, energía, construcción y comunicaciones son los sectores preferidos por los inversores españoles.

"Si consideramos los flujos anuales de inversión en los últimos años, la importancia de las inversiones españolas en América Latina es del todo evidente. En 1977 España fue el principal país inversor en América Latina, por delante de los Estados Unidos. Las inversiones en la región suponían en ese año el 53 por 100 de todas las inversiones directas españolas. Los principales destinatarios de la inversión española fueron Brasil, con el 16 por 100 del total, y Argentina y Chile, ambos con un 14 por 100 de la misma. En 1998, según estimaciones preliminares, España invirtió cerca de 2 billones de pesetas (13.500 millones de dólares), lo que probablemente la confirme como la primera potencia inversora en la región. Para 1999 se prevé una inversión superior a los tres billones de pesetas (20.000 millones de dólares)".

En "España, el segundo inversor después de EE UU", de *Luis de Sebastián*, en *Latinoamérica. La gran apuesta española* (núm. especial). *Tiempo.* Julio de 1999.

Latinoamérica recibe la mitad de los fondos que España destina a la cooperación internacional, de la que se encarga la Agencia Española de Cooperación Internacional (AECI), creada en 1988, cuyo primer cometido es "propiciar el crecimiento económico y el progreso social, cultural, institucional y político de los países en vías de desarrollo y, en especial, de los que tienen un ascendente hispano". El Instituto de Cooperación Iberoamericana es el organismo encargado de desarrollar las actividades de la Agencia en el área iberoamericana. La cooperación española se realiza por medio de ayudas al desarrollo, alimentarias, de carácter cultural y para situaciones de emergencia, y también a través de Organizaciones No Gubernamentales (ONG). Los Fondos de Ayuda al Desarrollo (FAD) subvencionan proyectos de desarrollo social, educativos y sanitarios. Iberoamérica absorbe también la mayor parte de los fondos que las Comunidades Autónomas y los Ayuntamientos españoles dedican a la ayuda internacional.

PARTICIPACIÓN EN LOS FLUJOS ECONÓMICOS A AMÉRICA LATINA Y EL CARIBE (1995-2000)

33% — 17% — 5% — 16% — 6% — 8% — 15%

BRASIL — MÉXICO
ARGENTINA — OTROS
CHILE — AMÉRICA CENTRAL Y EL CARIBE
CENTROS FINANCIEROS

Fuente: CEPAL. 2001.

La cultura contemporánea

Imágene**S**
de
América Latina

El Norte es el Sur, © Joaquín Torres García, VEGAP, Madrid, 2001.

La reivindicación de la cultura del Sur en contraposición a la del Norte fue un tema recurrente en el ideario de Torres. Esta imagen invertida del subcontinente ha funcionado como poderosa afirmación de la identidad cultural de América Latina. El Taller Torres-García, aunque nunca fue una institución aceptada "oficialmente" en Uruguay, funcionó como centro de enseñanza de arte, de exposiciones, conciertos y conferencias.

La cultura latinoamericana posee formas propias en muchas de sus manifestaciones, sobre todo la popular -música, folclore, artesanía,etc.-, cada vez más alejadas de los modelos foráneos; despierta gran interés en el exterior, y, en el caso de la literatura, es una de las más dinámicas y creativas del planeta.

Las lenguas de Latinoamérica

En Iberoamérica se hablan español y portugués y numerosas lenguas indígenas, de las que sólo en México existen sesenta y dos.

No es fácil hacer una distinción entre el español de España y el americano, pues ni el uno ni el otro constituyen bloques homogéneos. Las singularidades lingüísticas americanas, excepto las léxicas, están también presentes en España, o al menos lo han estado en el pasado. El español de América procede de la variedad española andaluza-canaria. Las diferencias son sobre todo fonéticas, de ritmo y entonación, y en ningún caso afectan a la estructura interna de la lengua. Las Academias de la Lengua de España y de Hispanoamérica colaboran en la defensa del idioma y en la fijación de sus normas.

"El español es una lengua popular, democrática e íntimamente unida en su estructura sintáctica, fonética y ortográfica. Las diferencias son de léxico, pero eso no afecta a su estructura unitaria".

Víctor García de la Concha,
Director de la Real
Academia Española.

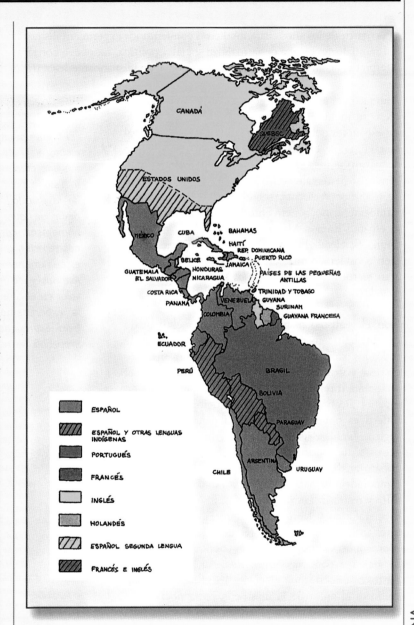

En el subcontinente americano radica la fuerza de expansión del español en el mundo. Cerca de 400 millones de personas se comunican en español, incluyendo la población hispana de los Estados Unidos.

Tampoco el portugués brasileño y el de Portugal forman bloques unitarios. Las diferencias entre ambas variedades son fonéticas, léxicas y ortográficas, y no afectan a la estructura interna de la lengua.

Las lenguas aborígenes más habladas son el quechua, con unos tres millones y medio de hablantes, distribuidos entre Bolivia, Perú y Argentina; aymará, en Brasil y Perú, con unos tres millones de hablantes; guaraní, en Paraguay, con unos dos millones y medio de hablantes, y náhuatl, que lo hablan un millón y medio de mexicanos. Lenguas minoritarias son el maya en México y Guatemala, el mapuche colombiano y chileno, el misquito nicaragüense, el warao venezolano y otras aún más minoritarias de Guatemala.

La literatura latinoamericana desde el "realismo mágico"

A partir de los años cuarenta dieron comienzo los experimentalismos literarios y la imaginación se impuso al testimonialismo crítico de la realidad social y política. La nueva corriente culminó en el realismo mágico, que interpreta la compleja realidad humana y social de Hispanoamérica a través de la imaginación y del mito.

Aunque para algunos autores el realismo mágico está presente incluso en las viejas crónicas de Indias de los españoles del siglo XVI -para Carpentier "lo real maravilloso se encuentra a cada paso en la historia del Continente"-, se considera pionero del nuevo género al guatemalteco Miguel Ángel Asturias, autor de *El Señor Presidente*, sobre la figura del dictador latinoamericano, género anteriormente cultivado por el español Ramón María del Valle Inclán, autor de *Tirano Banderas*. El cubano Alejo Carpentier, también considerado introductor del género, es autor de gran fuerza lírica: *El Siglo de las Luces, El recurso del método*.

Con el realismo mágico dio comienzo el llamado "boom" latinoamericano. Gran número de autores de todos los países hispanoamericanos, algunos inscritos en esa corriente y otros no, irrumpieron en el panorama internacional y la literatura americana en español alcanzó un inmenso prestigio: Juan Carlos Onetti es novelista de profunda penetración sicológica: *Juntacadáveres*; Manuel Mujica Lainez es prosista de barroco lenguaje: *Bomarzo*; Ernesto Sábato analiza la insatisfacción de la sociedad contemporánea: *El túnel*; José María Arguedas relaciona mito y realidad: *Los ríos profundos*; José Lezama Lima es metafórico y barroco: *Paradiso*; Adolfo Bioy Casares utiliza una depurada técnica: *La invención de Morel*; Julio Cortázar adopta una actitud crítica ante la sociedad contemporánea: *Rayuela*; Augusto Roa Bastos fusiona historia y ficción: *Yo, el Supremo*; Juan Rulfo es el autor de la más bella prosa poética del realismo mágico: *Pedro Páramo*; Mario Benedetti indaga en su propia intimidad: *La tregua*; José Donoso aborda el problema de la infelicidad y la soledad: *El lugar sin límites*; Gabriel García Márquez es la figura cumbre del realismo mágico: *Cien años de soledad*; Carlos Fuentes concibe la novela como mito, lenguaje y estructura: *La región más transparente*; Guillermo Cabrera Infante es autobiográfico: *La Habana para un infante difunto*; Mario Vargas Llosa es estilista en permanente renovación y creador de perfectas estructuras novelescas: *Conversaciones en La Catedral*.

"*El primer producto de la renovación es, como se ha dicho, el "realismo mágico", la búsqueda de la realidad propia a través de la naturaleza, el mito y la historia, para afirmar el sello de la originalidad y de la unicidad americana en el mundo. No cabe duda de que en el realismo mágico conviven numerosas características del regionalismo, del neorrealismo o de la novela de protesta. Se percibe esto claramente en las obras de Miguel Ángel Asturias y de Alejo Carpentier, etapas de singular valor en el camino hacia las formas más nuevas de la experimentación narrativa hispanoamericana, pero expresiones ellas mismas de una "novedad irrepetible"*".

En *Nueva historia de la literatura hispanoamericana*, Giuseppe Bellini. Madrid. Editorial Castalia. 1997.

Gabriel García Márquez en la época en que escribió Cien años de soledad, *una de las novelas más populares y admiradas de todo el siglo XX.*

IMÁGENES DE AMÉRICA LATINA

La literatura latinoamericana desde el "realismo mágico"

El ocaso del realismo mágico no ha significado el fin de la vitalidad de la literatura hispanoamericana, que se renueva constantemente con nuevos autores: Abel Posse cultiva el género histórico: *El largo atardecer del caminante*; Alfredo Bryce Echenique es lírico y crítico: *No me esperen en abril*; Manuel Puig recrea el género policiaco: *Pubis angelical*; Antonio Skármeta es cronista de la cotidianidad: *No pasó nada*; Isabel Allende sigue la senda del realismo mágico: *La casa de los espíritus*; Luis Sepúlveda recupera el interés por la naturaleza: *Un viejo que leía novelas de amor*; Ricardo Piglia, referente ineludible de la literatura contemporánea argentina, continúa explorando las formas narrativas desde una posición crítica y con una diversidad de miradas estéticas: *Plata quemada*.

Una extensa nómina de autores, nacidos entre finales de los cincuenta y principios de los setenta continúan despertando el interés de los lectores por la literatura latinoamericana. La mayoría ha abandonado los viejos tópicos localistas, pero no comparten líneas estéticas comunes. Pueden destacarse, a título de ejemplo, los nombres de Jaime Bayly, Santiago Gamboa, Jorge Volpi, Ignacio Padilla y Gonzalo Garcés. Todos ellos han tenido una gran acogida en España y desde allí se dan a conocer al resto de Europa.

"¿La ilusión? Eso cuesta caro. A mí me costó vivir más de lo debido. Pagué con eso la deuda de encontrar a mi hijo, que no fue, por decirlo así, sino una ilusión; porque nunca tuve ningún hijo. Ahora que estoy muerta me he dado tiempo para pensar y enterarme de todo. Ni siquiera el nido para guardarlo me dio Dios. Sólo esa larga vida arrastrada que tuve, llevando de aquí para allá mis ojos tristes que siempre miraron de reojo, como buscando detrás de la gente, sospechando que alguien me hubiera escondido a mi niño. Y todo fue culpa de un maldito sueño. He tenido dos: a uno de ellos lo llamo el "bendito" y a otro el "maldito". El primero fue el que me hizo soñar que había tenido un hijo. Y mientras viví, nunca dejé de creer que fuera cierto; porque lo sentí entre mis brazos, tiernito, lleno de boca y de ojos y de manos; durante mucho tiempo conservé en mis dedos la impresión de sus ojos dormidos y el palpitar de su corazón. ¿Cómo no iba a pensar que aquello fuera verdad? Lo llevaba conmigo a dondequiera que iba, envuelto en mi rebozo, y de pronto lo perdí. En el cielo me dijeron que se habían equivocado conmigo. Que me habían dado un corazón de madre, pero un seno de una cualquiera. Ése fue el otro sueño que tuve. Llegué al cielo y me asomé a ver si entre los ángeles reconocía la cara de mi hijo. Y nada. Todas las caras eran iguales, hechas con el mismo molde. Entonces pregunté. Uno de aquellos santos se me acercó y, sin decirme nada, hundió una de sus manos en mi estómago como si la hubiera hundido en un montón de cera. Al sacarla me enseñó algo así como una cáscara de nuez: "Esto prueba lo que te demuestra." Tú sabes cómo hablan raro allá arriba; pero se les entiende. Les quise decir que aquello era sólo mi estómago engarruñado por las hambres y por el poco comer; pero otro de aquellos santos me empujó por los hombros y me enseñó la puerta de salida: Ve a descansar un poco más a la tierra, hija, y procura ser buena para que tu purgatorio sea menos largo".

En *Pedro Páramo*, de Juan Rulfo. Edición de José Carlos González Boixo. Madrid. Cátedra. 1990.

"El grupo de literatos que está llegando de América Latina lo componen hombres y mujeres cuyas influencias y conocimientos (se viven tiempos de informaciones globalizadas) son los mismos, o muy, pero que muy similares a los de sus compañeros generacionales del resto del mundo... Nacieron entre el triunfo de la Revolución cubana y el inicio de las dictaduras del Cono Sur. Crecieron y maduraron durante la llamada "Década perdida", los negros (en lo relativo a la economía, fundamentalmente) años ochenta. Han convivido con la violencia de Sendero Luminoso, con el auge mundial de las telenovelas venezolanas y mexicanas, con la caída del Muro de Berlín (y, en Cuba, con el inicio del "Periodo especial"). Han leído a sus "padres", esos del boom, y no parece que tengan la pulsión de matarles; quizá sólo de superarlos. Para ellos, el pop-art, el rock, la cultura underground, el punk son fenómenos ya casi de museo".

En "La generación que invade las editoriales", de José María Goicoechea. *Tiempo*, n. 957. 4 de septiembre de 2000.

La literatura latinoamericana desde el "realismo mágico"

Entre los grandes poetas latinoamericanos del siglo XX (César Vallejo, Pablo Neruda, Miguel Ángel Asturias, etc.), el mexicano Octavio Paz, Premio Nobel de Literatura en 1990, evolucionó de la poesía surrealista a la metafísica, en una constante búsqueda por desentrañar el sentido último de la existencia. El cubano Nicolás Guillén es fundamentalmente poeta de profunda espiritualidad a la vez que político-social. El chileno Nicanor Parra, X Premio Reina Sofía de Poesía Iberoamericana, es lírico dolorido e irónico. Entre las generaciones más jóvenes, la argentina Alejandra Pizarnik, poeta surrealista, fue un mito para los jóvenes de los años ochenta.

A pesar de la extensa nómina de dramaturgos, el teatro latinoamericano nunca ha alcanzado tan alto nivel de calidad como la novela y la poesía. Mario Vargas Llosa y el mexicano Rodolfo Usigli son tal vez los dramaturgos hispanoamericanos de mayor prestigio del siglo XX.

Pablo Neruda es uno de los grandes poetas en español del siglo XX, creador de una obra de inspiración surrealista y en la que están presentes la naturaleza y la realidad histórica de América Latina.

Jorge Amado es el gran patriarca de las letras brasileñas, novelista de imaginación desbordante y gran sentido del ritmo.

En Brasil tuvo gran auge el neorrealismo regionalista desde mediados de la década de los veinte, alcanzando gran renombre universal Jorge Amado, autor de novelas sociológicas: *Cacau, Gabriela, clavo y canela.* Tras la Segunda Guerra Mundial, el neorrealismo regionalista fue sustituido por una literatura que trata de definir el hecho diferencial brasileño por medio de un lenguaje lírico. Clarice Lispector y Nélida Piñón son las más destacadas representantes del grupo. Posteriormente, los literatos se han abierto a los experimentalismos: Raduan Nassar fusiona lirismo oriental y tropical: *Labor arcaica*; Paulo Coelho "es novelista de la realidad interior": *El alquimista*. Otros nombres importantes de la literatura brasileña actual son Rubén Fonseca, Moacyr Scliar, Dalton Trevisar y Josué Montuello.

Los chicanos y la cultura hispana en los Estados Unidos

Los chicanos, descendientes de la población de los territorios mexicanos -el término "chicano" procede de "mexicano"- anexionados por los Estados Unidos en 1848, han mantenido su lengua y cultura hispanas a través del tiempo. Como resultado de su convivencia con la cultura anglosajona, utilizan una lengua hispana, el *spanglish*, plagada de modismos y expresiones inglesas.

Los chicanos y la cultura hispana en los Estados Unidos

La literatura chicana, de gran tradición, adquirió gran dinamismo a partir de los años sesenta del siglo XX, en vinculación con un movimiento que fusionó reivindicaciones de carácter laboral y cultural. La novela *Pocho* (1959), de José Antonio Villarreal, fue la primera en plantearse la cuestión de la identidad chicana. ... *Y no se nos* *tragó la tierra* (1971), de Tomás Rivera, posee un intenso lirismo. Miguel Méndez refleja en sus novelas -*Peregrinos de Aztlán, Los muertos también cuentan*, etc.- aspectos de las condiciones de vida de los chicanos. *Caras nuevas y vino viejo* (1975) y *La verdad sin voz* (1979), de Alejandro Morales, son de carácter urbano. Entre las novelistas, Ana Castillo indaga en el mundo hispano de Nuevo México: *Lejos de Dios*; Sandra Cisneros se hace eco de su propia experiencia vital: *La casa de Mango Street*. Existen también una dramaturgia y una poesía chicana. Los chicanos cultivan un arte que fusiona el *pop* y la tradición mexicana.

> "Cuando lleguemos ahí la gente que se las averigüe como pueda. Yo nomás la voy a repartir a los rancheros y me voy a la chingada. Además no tenemos ningún contrato. Ellos se podían conseguir con quién regresarse para Tejas. Vendrá alguien de seguro y se los levanta. El betabel ya no deja nada de dinero. Lo mejor es regresarme a Tejas nomás que deje a la gente y a ver cómo me va cargando la sandía. Y ahora falta que en este pinche pueblo no puedan componer la troca. ¿Y entonces qué chingaos hago? Nomás que no me vaya a venir a joder la chota a que me mueva de aquí. Ya ni me la jodieron en aquel pueblo. Para si ni nos paramos en su pinche pueblo. Cuando lleguemos, nomás que los reparta y me devuelvo. Cada quien por su santo".
>
> En ...Y no se lo tragó la tierra, *de Tomás Rivera.*

> "El Tercer Mundo, como a muchos norteamericanos tanto les gusta llamar a las tierras al otro lado de Río Grande y Ciudad Juárez, no empezaba en esa frontera porque, al menos en lo cultural, lo tenían dentro de los Estados Unidos, en una minoría chicana que tenía sus raíces en Santa Fe, fundada por los españoles en 1585, y en la propia Los Ángeles, visitada por los españoles en 1769 y fundada unos años más tarde. Los nativos americanos, con un híbrido de español e inglés, no eran por tanto unos advenedizos, sino una minoría traumatizada que a pesar de todo conservaba su lengua y estaba creando una literatura desconocida y nueva para la literatura española, que era urgente dar a conocer en España, como así se hizo en Granada, en 1998, donde se celebró bajo mi dirección el primer congreso de lengua y literatura chicana en Europa, al que acudieron una veintena de escritores…".
>
> En "La literatura chicana", de Manuel Villar Raso, en *República de las Letras*. Revista de la Asociación Colegial de Escritores de España, número 59. Madrid. Noviembre, 1998.

El número de hispanohablantes en los Estados Unidos se ha reforzado con la llegada de gran cantidad de inmigrantes latinoamericanos, de manera que el español es la segunda lengua del país y los hispanos son ya la minoría más numerosa. Según la Oficina del Censo Americana, a mediados del siglo XXI habrá un 23% de hispanos, un 16% de negros y un 10 % de asiáticos. Sin embargo, a la hora de hacer pronósticos sobre el futuro del español en ese país, hay que tener en cuenta que los inmigrantes necesitan hablar inglés, sobre todo sus hijos, para integrarse en la sociedad, así como a los partidarios del *english only*, que triunfaron en el referéndum celebrado en California en 1998. Dato muy positivo es el alto número de norteamericanos que estudian español.

Los chicanos y la cultura hispana en los Estados Unidos

"Hoy, Estados Unidos es uno de los países con mayor número de hablantes de español, lengua que se enseña en un 80 por ciento de las escuelas de enseñanza elemental y en un 90 por ciento de los colegios de enseñanza secundaria que ofrecen idiomas extranjeros. En la educación superior, la estudian un 61 por ciento de los universitarios, mientras que el restante 39 por ciento se reparte entre docenas de otros idiomas".

En "Instituto Cervantes: proyectos, actividades y centros", de Fernando
R. Lafuente, en *El Español en el Mundo. Anuario del Instituto Cervantes 2000.*

La presencia hispana en Estados Unidos no es exclusivamente lingüística: muchos latinoamericanos ocupan ya puestos importantes en la Administración y en el mundo empresarial, los candidatos a la presidencia se sirven de mensajes y frases en español en las campañas electorales, y lo hispano está cada vez más presente en la cultura norteamericana, sobre todo en la música y en el cine. Nombres de latinos como Ricky Martin, Andy García, Salma Hayek, Jenniffer López, Gloria Stefan y Carlos Santana entre otros, o de los españoles Antonio Banderas y Penélope Cruz, son la manifestación más evidente de la actual influencia de lo latino en Estados Unidos. Lo latino es ya una realidad demográfica, cultural y económica que desde los Estados Unidos de América está penetrando en el resto del mundo.

*Gloria Stefan es ejemplo del éxito
de los artistas latinos
en América del Norte.*

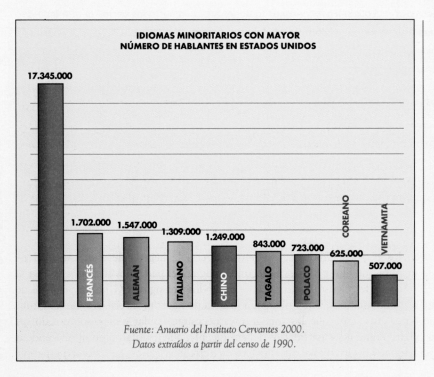

**IDIOMAS MINORITARIOS CON MAYOR
NÚMERO DE HABLANTES EN ESTADOS UNIDOS**

- FRANCÉS: 1.702.000
- ALEMÁN: 1.547.000
- ITALIANO: 1.309.000
- CHINO: 1.249.000
- TAGALO: 843.000
- POLACO: 723.000
- COREANO: 625.000
- VIETNAMITA: 507.000

17.345.000

*Fuente: Anuario del Instituto Cervantes 2000.
Datos extraídos a partir del censo de 1990.*

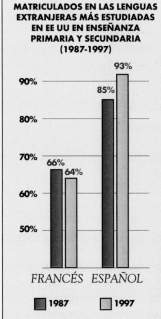

**NÚMERO DE ALUMNOS
MATRICULADOS EN LAS LENGUAS
EXTRANJERAS MÁS ESTUDIADAS
EN EE UU EN ENSEÑANZA
PRIMARIA Y SECUNDARIA
(1987-1997)**

- FRANCÉS: 66% (1987), 64% (1997)
- ESPAÑOL: 85% (1987), 93% (1997)

■ 1987   □ 1997

Las últimas tendencias artísticas

Los artistas plásticos, especialmente los pintores, recuperaron, en los años sesenta, los lenguajes figurativos al servicio de un arte de inspiración localista. Junto con el neofigurativismo convivieron en aquélla década el *Pop art*, el expresionismo y el realismo crítico. Entre los neofigurativos goza de merecida fama internacional el pintor y escultor colombiano Fernando Botero, creador de una extensa galería de voluminosos tipos humanos. Gran hiperrealista es el chileno Claudio Bravo, de depurada técnica. El mexicano Rufino Tamayo da un tratamiento picassiano a los temas americanos; Roberto Matta Echaurren, chileno, se sirve del surrealismo para crear imágenes de una fuerte carga onírica. El cubano Wifredo Lam ha renovado la tradición afrocubana. El peruano Oswaldo Guayasamín ha continuado la tradición del muralismo mexicano. Los escultores siguen nuevas tendencias como el constructivismo, el arte cinético y el conceptual. Hoy día, el arte latinoamericano ofrece una extensa variedad de formas, técnicas y procedimientos. La creación en Buenos Aires del Museo de Arte Contemporáneo Latinoamericano en septiembre de 2001 ha permitido reunir la colección más extensa de la pintura del siglo XX del subcontinente.

La mañana verde, Wifredo Lam, VEGAP, Madrid, 2001. Fundación Constantini.

El pintor cubano formó parte del movimiento surrealista. En su obra abundan los seres monstruosos o de carácter fantástico.

Invasión de la noche, Roberto Matta Echaurren, VEGAP, Madrid, 2001. San Francisco Museum of Modern Art.

Roberto Matta evitó su identificación como "pintor latinoamericano". Sus metáforas visuales pretenden reflejar paisajes mentales en los que se mezclan distintos niveles de realidad.

El nuevo cine latinoamericano

En los años sesenta comenzó en la mayoría de los países latinoamericanos un proceso de renovación del cine. En Argentina, un grupo de jóvenes realizadores cultivaron el cine de autor, entre ellos Leonardo Favio: *El dependiente* (1969), y Héctor Olivera: *La Patagonia rebelde* (1975). *Tiempo de revancha* (1981), de Adolfo Aristaráin, fue la primera de una serie de películas de carácter testimonial y crítico sobre los desaparecidos, exiliados, niños secuestrados y guerra de las Malvinas. Más tarde evolucionó hacia un cine que explora la dificultad de las relaciones personales sin abandonar nunca el compromiso social: *Un lugar en el mundo* tuvo una extraordinaria acogida y mereció la Concha de Oro en el Festival de cine de San Sebastián (1992). El cine argentino ha recuperado la imaginación y géneros olvidados como la comedia. Entre los éxitos recientes se cuenta la película de Marcelo Piñeyro, *Plata quemada*, inspirada en la novela de Ricardo Piglia, ejemplo del nuevo cine argentino.

En México, la temática tradicional de las comedias musicales, de los melodramas y del indigenismo, se amplió con nuevos géneros de carácter intelectual. Arturo Ripstein marcó un hito en esta nueva etapa con la película *Tiempo de morir* (1965). A partir de 1989, el apoyo oficial al cine de calidad ha facilitado la labor de realizadores como Ripstein, Rafael Montero y Marisa Sistach. En los últimos años jóvenes realizadores mexicanos han

El nuevo cine latinoamericano

despertado gran interés en el exterior, entre ellos Guillermo del Toro sorprendió con *Cronos*, mezcla de horror fantástico con imágenes casi surrealistas. Alejandro González Iñárritu cuenta con una contundencia singular tres historias paralelas que transcurren en la ciudad de México DF: *Amores perros* fue candidata al Oscar a la mejor película extranjera del año 2000 y recibió numerosos galardones internacionales.

En los años sesenta, un grupo de jóvenes realizadores brasileños renovó los lenguajes tradicionales mediante el tratamiento veraz y poético de la realidad sociocultural, dando así origen al *Cinema Novo*, del que fue pionero Nelson Pereira dos Santos: *Vidas secas* (1963). Realizadores del *Cinema Novo* fueron, entre otros, Glauber Rocha: *Antonio das Mortes* (1969), y Joaquim Pedro de Andrade: *Macunaíma* (1969). Posteriormente surgió un cine marginal y vanguardista de escasa calidad artística. A finales de los setenta hizo su aparición un cine ideológicamente comprometido que trató problemas como el de los desaparecidos. Los supervivientes del *Cinema Novo* y los nuevos realizadores mantienen el cine brasileño en permanente renovación. La película *Estaçao Central do Brasil* es el más reciente y merecido éxito de la cinematografía de aquel país.

Fotograma de la película del original director mexicano Arturo Ripstein, Un lugar sin límite, *basada en la novela del escritor chileno José Donoso.*

También en los años sesenta dio comienzo la renovación del cine chileno. Hitos importantes en este proceso fueron las películas *Tres tristes tigres* (1968), de introspección sicológica, de Raúl Ruiz, y *El chacal de Nahueltoro* (1968), de Miguel Littín, realizador que denunció la realidad social de Latinoamérica. La caída del presidente Allende significó el exilio para muchos realizadores, que dirigieron en el extranjero películas de asunto político.

En Cuba, el éxito de la revolución castrista marcó un corte en la trayectoria de la cinematografía isleña, que a partir de entonces se especializó en el género divulgativo y de carácter didáctico. Importante personalidad de la cinematografía cubana contemporánea es Tomás Gutiérrez Alea, director del primer largometraje del cine cubano: *Historias de la revolución* (1960) y de la considerada mejor película cubana de todos los tiempos: *Memorias del subdesarrollo*. Sara Gómez, realizadora de *De cierta manera* (1974), introdujo el tratamiento de los problemas humanos en su contexto social. Desde los años ochenta, nuevos realizadores como Juan Carlos Tabío y Orlando Rojas han ampliado la diversidad temática a las comedias ligeras y humorísticas. Tomás Gutiérrez Alea y Juan Carlos Tabío firmaron *Fresa y chocolate*, un extraordinario éxito de crítica y público tanto en América Latina como Europa, en la que se narra el choque existencial en Cuba entre un ortodoxo comunista y un artista homosexual. A pesar del tono de comedia, la película es un recio alegato contra la intolerancia en la situación de crisis económica de la isla. En *Guantanamera*, su última película, se propuso ilustrar "lo absurdo de la vida cotidiana de la Cuba de hoy".

La nueva forma de hacer cine se extendió a la mayoría de los países latinoamericanos. En Perú, la llamada "Escuela de Cuzco" cultivó el indigenismo, el documentalismo y la crítica social. En Colombia, el cine documentalista y el cine espectáculo sucedieron al de militancia política. Como ha sucedido en otros países, los últimos directores analizan con un realismo sobrecogedor el drama social y humano de los sectores más desprotegidos de la sociedad latinoamericana: *La vendedora de rosas* (1998), de Víctor Gaviria; *La virgen de los sicarios*, de Barbet Schoeder, a partir de la novela de Fernando Vallejo. Los venezolanos ejercieron la crítica

El nuevo cine latinoamericano

social y política en películas de tema popular. *Ukumau* (1966), de Jorge Sanjinés, marcó el comienzo de la renovación del cine boliviano. Este realizador obtuvo la Concha de Oro en el Festival de San Sebastián por su película *La Patria Clandestina* (1989).

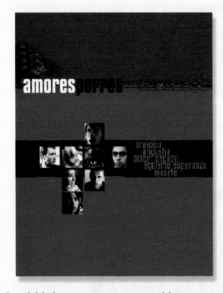

Cartel del último y más reciente éxito del cine mexicano, Amores perros, *una dura historia sobre la vida en las grandes ciudades que ha conmovido a medio mundo.*

El cine iberoamericano se enfrenta a problemas similares a los de muchos países en vías de desarrollo e incluso desarrollados: carencias económicas y deficiente distribución, preferencia del público por el cine espectáculo norteamericano y escaso interés por el narrativo y testimonial. Industrias cinematográficas de relieve son actualmente la mexicana, cubana, brasileña, argentina, chilena, peruana y venezolana. Entre los realizadores latinoamericanos de mayor proyección internacional en nuestros días hay que destacar los nombres del mexicano Arturo Ripstein, director de *La perdición de los hombres*, Concha de Oro del Festival de San Sebastián (2000); el chileno Silvio Caiozzi, ganador del Colón de Oro del Festival de Huelva (2000) por su película *Coronación*, y el argentino Adolfo Aristaráin. Junto a los creadores consagrados han surgido nuevos creadores con un lenguaje y una estética rotundos y perturbadores: Alejandro González Iñárritu, Guillermo del Toro o Víctor Gaviria.

El mestizaje musical

La música es la manifestación artística que mejor refleja el mestizaje cultural de Latinoamérica. A causa de sus variados ingredientes -ibérico, autóctono, africano-, la música y el folklore populares son muy variados. A su difusión contribuye su combinación con ritmos y formas foráneos.

La tradición musical y folclórica indígena se combina con formas hispanas, sobre todo en los Andes y México. Los ritmos caribeños rumba y mambo y la samba brasileña son de ascendencia africana. La mezcla de samba y *jazz* ha dado origen a otras formas de música ligera. La salsa es resultado del mestizaje de los ritmos latinoamericanos con el *rock*. En cuanto a los instrumentos, perviven algunos indígenas como flautas y tambores aztecas, la quena y la siringa incas.

El tango, en el que se funden música, baile y letras con una fuerte carga crítica, tiene un origen en parte desconocido: en él parecen mezclarse los ritmos africanos y la música criolla. Desde comienzos del siglo XX está indiscutiblemente ligado a Argentina y, en concreto, a la ciudad de Buenos Aires.

IMÁGENES DE AMÉRICA LATINA

La América precolombina

La Piedra del Sol. Museo Nacional de Antropología de México D.F., México.

La Piedra del Sol tenía la función de calendario en la cultura azteca.

Se han formulado innumerables teorías sobre el origen de los pueblos aborígenes americanos. Sin embargo, los historiadores reconocen hoy su origen asiático, siberiano, que ya fue señalado en el siglo XVI por el jesuita español Padre Acosta en su Historia natural y moral de las Indias.

"Del conjunto de teorías "científicas" acerca del origen del hombre americano..., aquella en la que todos los "profesionales" están dispuestos a convenir que es incontestable es la que afirma que la población del continente americano en su mayor parte procede de Asia y ha penetrado en el Nuevo Mundo a través del estrecho de Bering de una manera fluida y continua desde los primeros momentos -lo que puede fijarse en términos de cronología absoluta hacia el 40.000 a. de C.- hasta casi la llegada de los europeos a América".

En *Los orígenes de América*, de José Alcina Franch. Alhambra. Madrid. 1985.

Los primeros pobladores

Gentes siberianas comenzaron a trasladarse al continente americano en fechas que se sitúan entre 40.000 y 30.000 años a. de J. C. Lo hicieron a través del Estrecho de Bering, que entonces era un istmo. Eran pueblos nómadas, recolectores, cazadores y pescadores. Nuevos grupos de gentes siberianas, cada vez más culturizadas, continuaron poblando el continente hasta alcanzar sus costas meridionales unos 9.000 años a. de J. C. Aquellos colonizadores prehistóricos dejaron abundantes restos de su cultura material -instrumentos de piedra y hueso- y testimonios de su arte rupestre. Se trata de pinturas polícromas de figuras humanas y animales, de escenas de caza e impresiones de manos en positivo y en negativo, que evolucionaron del naturalismo al esquematismo.

El comienzo de la actividad agrícola y de la sedentarización a lo largo de un dilatado proceso que comenzó en el octavo milenio a. de J.C. se tradujo en el nacimiento de las primeras culturas campesinas, que organizaron el poder, la convivencia en sociedad y el trabajo en colectividad, y desarrollaron creencias, diversas formas de espiritualidad y de ceremonial litúrgico. Aquellas culturas campesinas evolucionaron hacia formas de vida urbanas y fueron el origen de los "grandes imperios", nombre que los españoles dieron a las organizaciones políticas de los aztecas y de los incas.

Las culturas urbanas. Teotihuacán y los mayas

Las culturas más evolucionadas de la época prehispánica se desarrollaron en México, Centroamérica, Noroeste de Suramérica y los Andes, la llamada "América Nuclear". A comienzos del siglo XIII a. de J. C. se formó en la región costera de Tabasco y Veracruz (México) una cultura agrícola, la olmeca, que sobrevivió hasta el siglo I de la Era Cristiana. Los olmecas cultivaban legumbres y maíz, poseían un calendario lunar y un sistema numérico, y esculpían colosales cabezas humanas, altares decorados con relieves de figuras humanas en sus frentes, figuras de bulto redondo y pequeñas hachas ceremoniales.

El urbanismo experimentó un gran auge en Mesoamérica (México, Centroamérica y noroeste de Suramérica) durante el primer milenio de la Era cristiana. En relación con este fenómeno se desarrollaron formas más complejas de espiritualidad, la astronomía basada en la observación directa de los fenómenos celestes y la arquitectura monumental. Asimismo se produjo una fuerte concentración del poder, las sociedades se jerarquizaron y surgió la división social del trabajo. Ejemplo supremo de centro urbano fue Teotihuacán, la "ciudad de los dioses", en el Noreste del Valle de México, que extendió su poder sobre una extensa área poblada por unas

Principales culturas precolombinas con sus zonas de asentamiento e influencia. Período aproximado: 1200 – 1500 d. C.

Las culturas urbanas. Teotihuacán y los mayas

250.000 personas. Entre finales del primer milenio a. de J. C. y comienzos de la Era Cristiana se construyeron en Teotihuacán las pirámides del Sol y la Luna, grandes avenidas y complejas construcciones palaciegas. En aquella ciudad se gestó una tradición cultural -teocracia, poder fuerte y centralizado, pirámides escalonadas, etc.- que se mantuvo hasta la época azteca. La desaparición de Teotihuacán facilitó el ascenso de otros centros urbanos, Tula sobre todo, la ciudad de Quetzalcóatl, la Serpiente Emplumada, deificación de un legendario caudillo militar.

Altar del sacrificio de la Pirámide del Sol *en Teotihuacán, México.*

"Con el nombre de Teotihuacán -palabra azteca que significa "lugar donde uno se convierte en Dios"- se designa a una de las ciudades más impresionantes de toda la América Precolombina, y no en vano, esta ciudad, que fue construida al N. E. del Valle de México, fue la cabeza visible de uno de los primeros imperios que existieron en el continente americano. El solar de esta imponente urbe tendría como mínimo una superficie de unos 30 kilómetros cuadrados, así como una población cercana a los 200.000 habitantes (una estimación que según algunos autores se podría elevar a 250.000 habitantes). A lo que cabe añadir que el área de dominio de Teotihuacán afectó a numerosos valles mexicanos, como por ejemplo a las zonas de Puebla-Tlaxcala, e incluso dejó notar su radio de influencia en las tierras del altiplano guatemalteco, y de ahí que el territorio teotihuacano pudiera tener, en su momento de mayor esplendor, una población aproximada de medio millón de habitantes".

En *Lo mejor del arte precolombino*,
de José Luis Pano Gracia.
Madrid. Historia 16. 1997.

La cultura teotihuacana ejerció una intensa influencia en el área mesoamericana, sobre todo en la cultura maya, originaria de la meseta mexicana del Anahuac. Conocemos la cultura maya por sus restos materiales, por libros como el *Popol Vuh* y los *Chilam Balam*, y por las noticias de los cronistas españoles, aunque estaba prácticamente desaparecida a la llegada de estos a América. Los mayas se instalaron en el Valle de México a mediados del tercer milenio a. de J. C., y desde allí se extendieron por las costas del Golfo de México y Centroamérica hasta Honduras. La época de mayor apogeo de su cultura fue la comprendida entre los siglos IV y X d. de J. C.

Los mayas creían en la existencia de otros mundos precedentes que habían sido destruidos por catástrofes. Su universo lo formaban el Cielo, la Tierra y el Inframundo, cada uno con sus respectivos dioses, que se comunicaban por un gran árbol por el que transitaban las almas de los muertos hacia su destino final. Su religión era de carácter animista, pues creían que todos los seres y todas las cosas tenían una esencia espiritual. Sus dioses principales eran Itzamná, protector de la lengua y de las técnicas; Chac, dios de la lluvia; Kinich, divinidad solar, y Quetzalcóatl, la "Serpiente Emplumada". En su complicado ceremonial litúrgico destacaban los sacrificios humanos y los ritos relacionados con la sangre, símbolo de la vida.

IMÁGENES DE AMÉRICA LATINA

30

Las culturas urbanas. Teotihuacán y los mayas

Según el *Popol Vuh*, la creación del mundo y de los seres humanos fue obra de Quetzalcóatl y del dios Huracán, que, primeramente, dieron vida a unos seres humanos imperfectos, a los que aniquilaron por medio de un diluvio; posteriormente crearon seres inteligentes a partir del maíz, que fueron los progenitores del pueblo maya.

Vista del acceso principal del Templo de los guerreros *en Chichen-Itzá, Península del Yucatán, México. La ciudad de Chichen-Itzá fue la capital del imperio maya.*

La sociedad maya estaba fuertemente jerarquizada. A su cabeza se hallaban los soberanos, encarnación de los dioses y sumos sacerdotes, de ahí la importancia de la religión como instrumento de dominio político. Los mayas organizaron una economía que superó los límites de la simple subsistencia mediante el desarrollo de los regadíos, consiguiendo así excedentes de producción. Desconocían la metalurgia y carecían de animales de carga y transporte. Conocían la escritura jeroglífica y poseían un sistema numérico que incluía el cero; elaboraron un calendario de estructura lógica y eran expertos constructores de grandes edificios de gruesos bloques de piedra y rica decoración en relieve. Utilizaron bóvedas y arcos conseguidos mediante la aproximación de las hiladas. Empleaban como materiales de construcción piedras, madera, adobe y argamasa. Fueron excelentes escultores de relieves en piedra y en estuco y de estelas con representaciones humanas, así como ceramistas de figuras humanas y animales muy realistas y expresivas. Alcanzaron gran refinamiento en la talla y pulido del jade. Sus pinturas sorprenden por su rica policromía. Grandes conjuntos monumentales mayas son, por ejemplo, los de Tikal y Palenque.

El declive de la cultura maya desde comienzos del siglo IX se ha explicado como resultado de diversos factores: catástrofes naturales, invasiones de pueblos extranjeros, revoluciones, guerras civiles, etc. El centro del mundo maya se trasladó, en aquella fase terminal, a la ciudad de Chichén Itzá, en la Península del Yucatán, donde, en el siglo X, se instalaron también los toltecas, procedentes de Tula, que llevaron con ellos gran parte del legado cultural del Valle de México. A comienzos del siglo XII surgieron nuevas ciudades -Uxmal, Mayapán, Acalán y otras- que disputaron la primacía política a Chichén Itzá, cuya caída definitiva se produciría en la centuria siguiente. El territorio quedó entonces dividido en numerosos pequeños estados formados por las diferentes etnias -zapotecas, mixtecos, tarascos, chichimecas, etc.-, lo que aceleró la decadencia de la cultura maya.

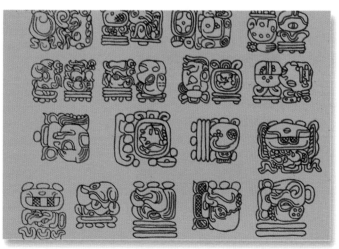

Signos jeroglíficos del alfabeto maya.

Los aztecas

Los aztecas, pueblo náhuatl oriundo del sur de los actuales Estados Unidos, se establecieron en el Valle de México a comienzos del siglo XIV de la Era Cristiana. Se consideraban originarios de Aztlán -de donde procede la voz azteca-, mítica tierra de imprecisa localización geográfica que aún en nuestros días es evocada por sus descendientes. Los aztecas aprovecharon las guerras entre toltecas y chichimecas para alzarse con el liderazgo e imponerse a todos los habitantes de la región.

Los aztecas creían que Huitzilopochtli, dios solar y guerrero, había sugerido a sus antepasados abandonar Aztlán y buscar una tierra ideal donde establecerse. En su larga marcha hacia la tierra prometida llegaron a las orillas del lago de Texcoco, en el Valle de México. Allí, en una isla pantanosa del lago, levantaron su capital, Tenochtitlán (1325), la "Venecia del Nuevo Mundo" (Bernal Díaz del Castillo) -los españoles la llamaron México, nombre indígena sobre cuyo origen no existe acuerdo entre los historiadores-. Construyeron en su nueva capital importantes edificios religiosos y palaciegos, entre ellos la gran pirámide del Templo Mayor, dedicado a Huitzilopochtli y a Tláloc, dios de la naturaleza y de la fertilidad, y un templo de planta circular dedicado a Quetzalcóatl. A finales del siglo XIV la organización política azteca estaba consolidada y se extendía sobre un extenso territorio.

Los aztecas creían en la existencia de varias divinidades, entre ellas el gran dios Ometeotl, que se desdobló en una deidad masculina y en otra femenina, la pareja primordial, progenitores de Quetzalcóatl y Tezcatlipoca, creadores del mundo y de la humanidad. Las luchas entre los dos hermanos fueron la causa del origen y destrucción de los cinco soles o mundos sucesivos que los aztecas creían que habían precedido al suyo. Otras leyendas interpretaban el mundo como resultado de la transformación del cuerpo del dios Tlaltecuhtli, que sirvió de materia prima para la formación del mismo. Huitzilopochtli, dios solar y guerrero, era hijo de Coatlicue y de Quetzalcóatl.

La diosa Coatlicue era, según la mitología azteca, la madre del dios Huitzilopochtli. La estatua monolítica con la que se representa pesa 12 toneladas.

Los sacrificios humanos habían sido ordenados por Huitzilopochtli, y eran necesarios porque la sangre humana servía de alimento a Tonatiuh, divinidad solar garantía de la permanencia de la vida, del orden del mundo y de la sucesión del tiempo. Se realizaban en el gran templo de Tenochtitlán, donde se extraían los corazones de las víctimas con cuchillos de obsidiana. Las almas de los sacrificados permanecían algún tiempo en compañía del dios y posteriormente se convertían en colibríes.

Los aztecas asumieron la herencia cultural de los pueblos que les habían precedido en el dominio de las tierras mexicanas, ejemplo de ello fue el culto de la "Serpiente Emplumada", Quetzacóatl, dios del viento y de las artes, protector y sabio inventor de la agricultura, del calendario -la serpiente era el símbolo de la sabiduría-, de la poesía y de la educación. El dios abandonó un día México en una balsa de serpientes y desapareció en el mar rumbo al Este, prometiendo a su pueblo regresar en el futuro. Otras leyendas hablan de su oposición a los sacrificios humanos y de su conversión en estrella.

Los aztecas elaboraron un calendario religioso y otro civil que hacían coincidir cada cierto tiempo. Crearon un sistema aritmético y poseían una

IMÁGENES DE AMÉRICA LATINA

Los aztecas

escritura rudimentaria de carácter ideográfico. Construyeron grandes templos de pirámides escalonadas, continuadoras de la tradición maya. La escultura -Piedra de Tizoc, Relieve de Coyolxauhqui, Calendario Azteca, etc.-, de tardía aparición, tiene significado generalmente religioso. Solían decorar las fachadas con bajorrelieves y figuras de gran fuerza expresiva. Trabajaron con gran habilidad las piedras duras y semipreciosas.

La sociedad azteca estaba intensamente jerarquizada. La célula social básica la formaban los "calpullis", grupos de individuos unidos por lazos de parentesco que poseían y explotaban comunalmente sus propias tierras. En la cúspide de la pirámide social se encontraban los soberanos y los sacerdotes. Los aztecas cayeron bajo el poder de los españoles en 1521.

El muralista mexicano Diego Rivera y sus compañeros de generación crearon un arte de inspiración localista y revolucionario. Los personajes de esta monumental pintura no son invenciones del artista sino que se inspiran en documentos históricos.

Mercado de Tenochtitlán (Fragmento), © Diego Rivera, Banco de México, Diego Rivera & Frida Khalo Museums.

El área de Centroamérica, el norte de Suramérica y el Caribe

En Centroamérica, la Cultura de Cloqué experimentó un notable desarrollo a partir del 500 d. de J. C. bajo la influencia de las culturas maya y mexicana. En el norte de Suramérica, durante la segunda mitad del primer milenio de la Era Cristiana, se desarrollaron varias culturas de pueblos agrícolas y orfebres como la de los quimbayas del valle del río Cauca (Colombia).

Los pueblos antillanos nunca alcanzaron un nivel de desarrollo cultural similar al de sus vecinos de las costas de Centroamérica y de Suramérica. Entre los más avanzados, los taínos, originarios del valle del Orinoco, que poblaban Santo Domingo, Cuba y Puerto Rico a la llegada de los españoles, eran alfareros y practicaban una rudimentaria agricultura basada en el sistema de quema del bosque. Los siboneis y los caribes no habían superado la edad de la piedra y estos últimos practicaban el canibalismo.

El área andina

La agricultura apareció en el área andina en el quinto milenio a. de J. C. A finales del segundo milenio a. de J. C. comenzaron a configurarse culturas agrícolas evolucionadas como la peruana de Chavín de Huantar. En los primeros siglos de la Era Cristiana, los mochicas, de la región peruana de Trujillo, construyeron templos piramidales. De formación más tardía fue la cultura Nazca, creadora de una cerámica de depurada técnica y decoración de motivos naturalistas y abstractos; los nazca trazaron por medio de surcos en el suelo esquemáticas y gigantescas siluetas de animales de significado desconocido.

El área andina

En Tiahuanaco, en la región del lago Titicaca, floreció una cultura que alcanzó su máximo esplendor en el siglo VI d. de J. C. Su influencia se extendió a diversos grupos andinos, sobre todo desde que la ciudad de Huari, en la región de Ayacucho, asimiló su herencia cultural y la difundió sobre extensos territorios a partir de mediados del siglo IX. La organización política de Huari desapareció a comienzos del segundo milenio y en su lugar aparecieron diversos centros que transmitieron a los incas el legado cultural andino.

Puerta del Sol en Tihuanaco, en las cercanías del Lago Titicaca. Bolivia.

Los incas

Los incas, originarios de la región del lago Titicaca o quizá de la de Machu Picchu, comenzaron a extenderse por los Andes a comienzos del siglo XIV, y tras someter a los chancas, mochicas, chavines, tiahuanacos, nazcas, chimús, etc., a finales del XV crearon una organización política (Tahuantinsuyu) que abarcaba un extenso territorio andino densamente poblado: se estima entre 200.000 y 300.000 el número de habitantes de Cuzco, la capital, a la llegada de los españoles en 1532.

Ruinas del Machu-Picchu, en el actual Perú.

Los incas también mitificaron su origen y su pasado: creían en la existencia de una divinidad primigenia, el gran Viracocha, dios supremo, creador del mundo y de la humanidad, su protector y educador. Lo imaginaban como un anciano venerable de barba blanca. Como Quetzalcóatl, Viracocha abandonó a su pueblo tras prometerle regresar un día para darle nuevos días de gloria. Otras leyendas se refieren a Inkari y Collari, pareja primordial creada por los genios de las montañas, de la que procedería el pueblo inca. Deidades importantes eran también Inti, el dios Sol, su hermana y esposa Kylia, la diosa Luna; Ilyapa, dios de la lluvia, y la Pacha Mama, la Madre Tierra, diosa de la fertilidad y de la fecundidad. Del culto solar estaban encargadas las *acllas*, jóvenes vírgenes que mantenían siempre viva la llama de un fuego sagrado símbolo de la eternidad divina. Los incas también ofrecían sacrificios humanos a los dioses, aunque con menos frecuencia que los aztecas. El legendario Manco Cápac, fundador de la ciudad de Cuzco, y Mama Ocllo, su hermana y esposa, hijos de Inti, fueron, según la tradición incaica, los fundadores de la dinastía real.

IMÁGENES DE AMÉRICA LATINA

Los incas

Los soberanos o Incas detentaban un poder absoluto y controlaban a sus súbditos y territorios por medio de una compleja burocracia y de una densa red de calzadas pavimentadas. En la cúspide de la sociedad, muy jerarquizada, se hallaban, además del Inca, los grandes señores, los altos funcionarios y los *curacas* o jefes de las comunidades rurales. La célula social básica eran los *ayllus*, formados por miembros de una misma familia. El pueblo estaba sometido al pago de diversos tributos y a la realización de trabajos no remunerados, la *mita* entre ellos, al servicio del Inca y de los grandes señores.

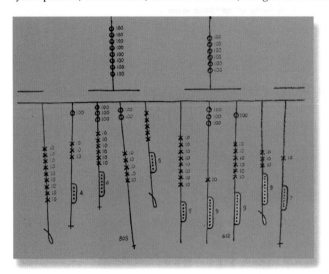

El "quipu", palabra inca que significa nudo, no era un recurso de escritura sino un recurso memorístico que servía como sistema numérico.
Consiste en una cuerda principal con varias más pequeñas y de colores.
Los nudos representan números.

Los incas trabajaban la tierra cooperativamente y distribuían equitativamente los rendimientos. Eran hábiles agricultores, aunque poseían unos instrumentos muy rudimentarios; desarrollaron los regadíos, aumentaron los rendimientos de la tierra con el empleo de abonos, y domesticaron a llamas y alpacas. Construyeron grandes edificios de bloques irregulares, pulidos y unidos directamente, sin argamasa. Además de los restos conservados en Cuzco, Machu-Picchu y la fortaleza de Ollantaytambo son bellos exponentes de la arquitectura incaica. Sacsahuamán, en Cuzco, es una construcción ciclópea con fines defensivos. Fueron también hábiles artesanos, orfebres, tejedores y ceramistas herederos de las técnicas andinas precedentes. Desconocían prácticamente la escritura, que se reducía a unos cuantos símbolos que empleaban en la contabilidad. Disponían de un calendario lunar.

"La agricultura incaica, tan avanzada en los aspectos relativos a la ingeniería hidráulica y en la domesticación de plantas fue, sin embargo, muy pobre y primitiva en lo que se refiere a instrumentos de labranza: la taclla o palo cavador, el mazo de cabeza lítica y el azadón corto eran, prácticamente, los únicos instrumentos agrícolas utilizados por los incas".

En *Los Incas, el reino del Sol*,
de José Alcina Franch y Josefina
Palop Martínez. Madrid. Anaya. 1988.

La América prehispánica marginal

En ninguna otra área del continente se alcanzaron niveles de desarrollo cultural similares a los de la "América Nuclear". En el territorio de los actuales Estados Unidos, aunque las actividades agrícolas y la sedentarización comenzaron unos 7.000 años a. de J. C., el nomadismo, la caza y la recolección se mantuvieron durante largo tiempo, como entre los pueblos amazónicos y del sur del continente (guaraníes, araucanos, patagones, etc.). Todos ellos se hallaban a la llegada de los europeos aún en un estado de desarrollo cultural similar al paleolítico europeo.

Descubrimiento y conquista del Nuevo Mundo

Cristóbal Colón es recibido por los RR CC tras su primer viaje a América. *(Detalle del grabado)*. *AECI*.

Fragmento del tapiz que representa la escena en la que Cristóbal Colón es recibido por los Reyes Católicos tras su primer viaje a América.

Con el matrimonio de los Reyes Católicos a finales del siglo XV, los reinos medievales hispánicos, excepto Portugal, se unieron en una organización política, la Monarquía Hispánica, de carácter confederal. La unidad de España se completó con la incorporación de Granada (1492), último reducto del Islam en la Península Ibérica, y del reino de Navarra (1515). Los Reyes Católicos recibieron del Papa el título de reyes de España.

La España de finales del siglo XV era una joven entidad política que había restablecido la vieja unidad de la antigua Hispania romana y visigoda. Los españoles se disponían a continuar la Reconquista por tierras africanas, a las que consideraban prolongación natural de la Península Ibérica. Pero un magno acontecimiento, el descubrimiento de América, vino a distraerles de la empresa africana, dando así comienzo la conquista del Nuevo Mundo y la creación del extenso imperio hispanoamericano, el primer gran imperio colonial de los siglos modernos.

España durante el ocaso de la Edad Media

A finales del siglo XV emerge en Europa, y por tanto en España, una nueva cultura, la humanístico-renacentista, que se apoyaba en el concepto greco-rromano del hombre como centro y medida de todas las cosas y en la valoración de la razón como cualidad superior de los seres humanos. En consecuencia, el racionalismo y el pensamiento práctico comenzaron a sustituir a la religión y al pensamiento abstracto medieval como instrumentos de interpretación de la realidad. A partir de entonces el mundo será contemplado como una realidad para conocer y aprovechar en beneficio de los seres humanos.

Al final de la Edad Media, los cristianos ibéricos confundieron ideología y teología, y elevaron la unidad de fe religiosa a la categoría de razón de Estado, lo que marcó el fin de la convivencia pacífica con los musulmanes y judíos. Aquel singular clima de tensión espiritual culminó con el decreto de expulsión de los judíos (1492), con el cerco creciente a la población musulmana de los moriscos y con el afán de mantener la ortodoxia católica y de defender y extender la fe cristiana más allá de las fronteras hispanas.

Tumba de los Reyes Católicos en la Universidad de Granada.

El apoyo de los Reyes Católicos a Colón hizo posible el descubrimiento del Nuevo Mundo.

Los literatos consagraron definitivamente el uso de las lenguas vulgares como medio de expresión culta: Nebrija publicó en 1492 su *Gramática Castellana*, la primera que codificó el uso de una lengua romance. La invención de la imprenta facilitó la difusión de la cultura y del saber. Los artistas recuperaron el ideal clásico de la armonía y equilibrio en las proporciones, y los científicos comenzaron a rechazar las teorías no demostradas experimentalmente.

Durante el Renacimiento nació una nueva forma de organización política, absolutista, centralista y unitaria, el Estado Moderno, conjunto de súbditos y territorios delimitados por fronteras y sometidos al poder absoluto de los monarcas que, como analizó Maquiavelo, lo ejercían en beneficio exclusivo del Estado. La concentración del poder por los monarcas y la razón de Estado favorecieron la emergencia de los sentimientos nacionales y el desarrollo de la economía monetaria y capitalista.

Los antecedentes del Descubrimiento

La caída del reino de Granada había privado a Europa de su más importante fuente de aprovisionamiento en oro, que los granadinos importaban de África. Esto ocurría en la época del mercantilismo, doctrina económica que basaba la riqueza y prosperidad de los reinos en la acumulación de metales preciosos. La necesidad de procurarse oro y otras riquezas predisponía a los pueblos ibéricos a emprender la aventura ultramarina. Los portugueses, por su parte, trataban de alcanzar las costas de la India bordeando el continente africano para sustituir a musulmanes, genoveses y venecianos en el lucrativo comercio de las especias. Además, el fin de la Reconquista había liberado ingentes energías y fortalecido el ideal de evangelización y de extensión de la fe. Se aspiraba también a establecer asentamientos permanentes en el norte de África para impedir nuevas invasiones de musulmanes, y a conectar con el mítico reino cristiano del preste Juan, que el imaginario colectivo europeo situaba en Oriente. Por otro lado, el ideal caballeresco medieval y las utopías renacentistas animaban a españo-

Los antecedentes del Descubrimiento

les y portugueses a emular a los héroes clásicos y medievales en hazañas que, en principio, parecían irrealizables. Todos estos factores, medievales y renacentistas, económicos y espirituales, se conjugaron y animaron a los pueblos ibéricos a emprender la expansión ultramarina. Hechos clave de la misma fueron el descubrimiento de América por los españoles (1492) y la llegada de los portugueses a la India (1498). Ambos acontecimientos fueron, pues, resultado del devenir histórico peninsular durante el siglo XV.

Rendición del reino de Granada. Moreno Carbonero. Senado. Madrid.

La toma de Granada en 1492 marca, con la conquista de América y la publicación de la Gramática de Nebrija, un hito en el paso a la Edad Moderna en España.

Todo comenzó cuando, en nombre de la cristiandad, una armada portuguesa se apoderó de la ciudad de Ceuta (1415), situada en la costa africana del Estrecho de Gibraltar. A partir de entonces, los portugueses enviaron regularmente expediciones a lo largo de la costa occidental de África. La bula *Romanus Pontifex* (1445) les otorgó el monopolio del comercio con Oriente y les encomendó la organización de una cruzada por las costas australes africanas, cuyo extremo meridional, el cabo de Buena Esperanza, doblaron en 1488, abriendo así la vía marítima hacia la India, en cuyas costas desembarcó Vasco de Gama en 1498. Las navegaciones atlánticas fueron facilitadas por el desarrollo de las técnicas de navegar y de la cartografía y por el perfeccionamiento de los barcos. A mediados del siglo XV comenzó a utilizarse la "carabela de descubrir", barco de velas triangulares que podía navegar contra el viento.

Las expediciones marítimas se llevaron a cabo bajo el signo de la rivalidad entre España y Portugal. Desde tiempo atrás venían manifestando los monarcas hispanos gran interés por las islas Canarias, que fueron incorporadas por los Reyes Católicos a la Corona de España. Los portugueses alegaron poseer derechos históricos sobre esas islas, por lo que hubo que negociar y delimitar las respectivas zonas de expansión: los españoles reconocieron -Tratado de Alcaçovas-Toledo (1479-1480)- los derechos de Portugal sobre la costa africana y sobre las tierras e islas atlánticas descubiertas y por descubrir al sur de las Canarias; y los portugueses aceptaron la soberanía de España sobre estas islas.

En 1476 llegó a Portugal un experimentado marino, Cristóbal Colón, de probable origen genovés, que sometió a la consideración de la corte portuguesa un plan para viajar a la India navegando hacia Occidente, proyecto poco novedoso cuya viabilidad no era un secreto para nadie. Además, Colón había mantenido contactos con navegantes y descubridores ibéricos que sospechaban de la existencia de tierras entre los continentes europeo y asiático. Sin embargo, los científicos portugueses rechazaron la propuesta de Colón por estimar, con razón, que sus cálculos sobre la distancia entre Lisboa y Japón eran erróneos -Colón estimaba esa distancia en 2.400 millas, siendo la real de 16.600-. El rechazo de los portugueses no desanimó a Colón, que se trasladó a España.

Retrato anónimo de Colón. Museo Naval. Madrid.

Cristóbal Colón (h. 1451-1506) planteó su expedición como una nueva ruta de acceso a las Indias Orientales.

El Descubrimiento del Nuevo Mundo

Colón encontró en España apoyos que le facilitaron el acceso a la corte de los Reyes Católicos, donde expuso su proyecto de "navegar e ir a las Indias desde España, pasando el Mar Océano a Poniente". A pesar de los informes contrarios de las comisiones que analizaron el plan, los monarcas decidieron patrocinarlo. Por las llamadas Capitulaciones de Santa Fe (abril de 1492), Colón obtuvo el nombramiento de almirante y de virrey vitalicia y hereditariamente, así como privilegios económicos: el 10% de las riquezas que encontrara y el 12% del producto del comercio. La Corona se comprometió a proporcionarle tres carabelas y ayuda económica. Los historiadores suelen preguntarse sobre las causas de tantos nombramientos y prebendas, que fueron luego motivo de desacuerdo entre los monarcas y los descendientes de Colón.

La flota española, formada por unos cien marinos, entre ellos los expertos hermanos Pinzón, y tres barcos, la nao Santa María y las carabelas Pinta y Niña, partió del puerto de Palos (Huelva) el 3 de agosto de 1492. Empujada por los vientos alisios y tras una breve escala en las Canarias, se dirigió hacia el Oeste. El 12 de octubre desembarcaron los marinos españoles en la isla antillana de Guanahaní, que fue llamada San Salvador, la actual isla de Watling, en las Bahamas, y poco después lo hicieron en otras islas de las Antillas y en el continente. Así se llevó a cabo el descubrimiento geográfico más importante de la Historia. Parece ser, no obstante, que el noruego Leif Erickson había desembarcado, en el siglo X, en las costas de Norteamérica, a la que dio el nombre de Vinland, e incluso algunos historiadores creen haber encontrado inscripciones y objetos fenicios en Suramérica. De todas maneras, estos descubrimientos del Nuevo Mundo anteriores al de los españoles no tuvieron ninguna trascendencia histórica.

"Cierto Colón navegó hacia el Occidente, hasta llegar hasta los antípodas de la India, según él cree. Encontró muchas islas, y piensan que son las mencionadas por los cosmógrafos más allá del océano oriental, adyacentes a la India. Yo no lo niego del todo, aunque la magnitud de la esfera parece indicar otra cosa; pues no falta quien opina que el litoral índico dista poco de las playas españolas. Como quiera que sea, afirman que ha encontrado grandes cosas. Ha traído pruebas de lo que dice, y promete que encontrará cosas mayores".

En *Cartas sobre el Nuevo Mundo* (epístola 135), de Pedro Mártir de Anglería. Traducción de Julio Bauzano. Introducción de Ramón Alba. Madrid. Ediciones Polifemo. 1990.

Escena de la llegada de barcos españoles a las Indias vista por uno de los cronistas de la época (siglo XVI). El dibujo se hizo a partir de una carta en latín del propio Cristóbal Colón.

Los papas poseían en aquella época la facultad de donar a los príncipes cristianos las tierras de los infieles. Por esta razón, tras el descubrimiento del Nuevo Mundo y a fin de legalizar su posesión, los Reyes Católicos obtuvieron del Papa, el español Alejandro VI, las bulas correspondientes. La primera bula *Inter Caetera* (1493) les entregó las islas descubiertas y las que descubrieran en el futuro que no estuvieran en posesión de un príncipe cristiano. Una segunda bula *Inter Caetera* del mismo año estableció la separación de las zonas española y portuguesa a partir de una línea imaginaria Norte-Sur a 100 leguas al occidente de las Azores y Cabo Verde. Las tierras situadas al oeste de esa línea fueron asignadas a España y las situadas al este a Portugal. Del mismo año de 1493 fueron también las bulas *Eximiae Devotionis*, que otorgó a los reyes de España los mismos derechos y privilegios que a los portugueses, y *Dudum Siquidem*, que les entregaba las islas que encontraran en sus navegaciones hacia occidente, lo que iba dirigido directamente contra Portugal, que perdió así la batalla diplomática.

Los portugueses en Brasil

El descubrimiento del Nuevo Mundo por los españoles provocó la protesta del monarca portugués, que denunció el incumplimiento por España del Tratado de Alcaçovas-Toledo, por lo que hubo que negociar un nuevo acuerdo, el ambicioso Tratado de Tordesillas (1494), que dividió el mundo en dos extensas zonas: la occidental para España y la oriental para Portugal, separadas por el meridiano situado a 370 leguas al oeste de Cabo Verde.

La pretensión de los dos países ibéricos de repartirse el mundo en zonas de dominio exclusivo no fue respetada por las otras potencias marítimas europeas. La Corona inglesa envió (1496) a las costas de Norteamérica una expedición al mando del veneciano Juan Caboto, que tocó tierra en Terranova y en las penínsulas del Labrador y la Florida. Los franceses exploraron parte de la costa oeste y permanecieron durante un tiempo (1534) en Canadá. Los portugueses decidieron aprovechar también el descubrimiento español: el 9 de marzo de 1500 partió de Lisboa una poderosa armada al mando de Álvares Cabral, con el objetivo declarado de establecer bases permanentes en la India. Sin embargo, según la versión oficial dada por las autoridades lisboetas, su armada se desvió involuntariamente hacia el Oeste, tocando tierra americana en abril de aquel mismo año. Al estar esa tierra -Brasil- situada en la zona asignada a Portugal por el Tratado de Tordesillas, los españoles tuvieron que aceptar los hechos consumados.

La conquista del Nuevo Mundo y la primera circunnavegación de la Tierra

Colón llegó a realizar cuatro viajes entre España y el Nuevo Mundo, en los que descubrió nuevas islas en el Caribe y navegó por las costas de la actual Venezuela. Su mal gobierno provocó la rebelión de los colonos de la isla Española (Santo Domingo), por lo que fue arrestado por un agente real y enviado a España. Tras su último viaje a las Indias, murió en Valladolid, rehabilitado, en 1506.

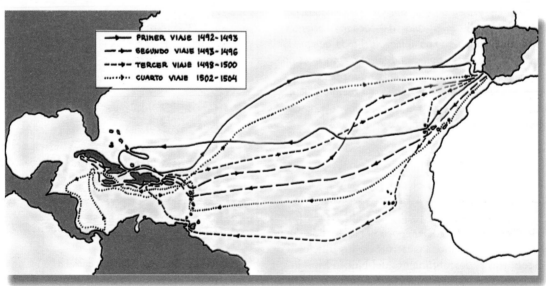

Colón realizó cuatro viajes a América, que fueron las primeras expediciones organizadas, a partir del segundo viaje, con un propósito colonizador.

La resistencia de los indígenas y la escasa rentabilidad de los territorios descubiertos enfriaron el interés de las autoridades españolas, que a partir de 1495 arrendaron las exploraciones a particulares. Estos se hacían cargo de los gastos y entregaban a la Corona el 20% de los beneficios obtenidos. La conquista del Nuevo Mundo se llevó a cabo en muy poco tiempo: en 1508 comenzó la ocupación de Puerto Rico, en 1510 la de Cuba. Esta isla y la de Santo Domingo sirvieron de base para la exploración del continente, de la Tierra Firme. Núñez de Balboa atravesó el istmo de Panamá y descubrió el Océano Pacífico (1513). Posteriormente se incorporaron a la Corona

La conquista del Nuevo Mundo y la primera circunnavegación de la Tierra

de España Centroamérica (1524), México (1519-1525), Perú (1533-1537), Ecuador y Río de la Plata (1534), Colombia (1538), La Florida (1539) y Chile (1540). La exploración y conquista de tan vastos territorios exigió un gran esfuerzo: los conquistadores tuvieron que enfrentarse a un mundo desconocido y hostil, para cuya comprensión carecían de referencias. Es lógico pensar que su sorpresa y admiración ante tantas novedades eran similares a las que ellos despertaban entre los indios.

El descubrimiento del Mar del Sur, del Pacífico, estimuló el deseo de encontrar una vía marítima al mismo. El emperador Carlos I envió una flota con 237 hombres y cinco naves al mando de Magallanes, que partió de Sevilla el 20 de septiembre de 1519. Los españoles hallaron el paso al sur del continente el 20 de noviembre, lo franquearon y tras una dilatada navegación exploraron las islas Marianas y las Filipinas, donde murió Magallanes. El nuevo jefe de la expedición, Juan Sebastián Elcano, atracó en las Molucas, navegó por el Índico y tras bordear el cabo de Buena Esperanza puso rumbo a España. El 6 de septiembre de 1522 regresaron a Sevilla sólo 18 hombres y un solo barco, la nao Victoria. Los españoles fueron así los primeros en circunnavegar la Tierra.

Fernando de Magallanes, Anónimo. Museo Colombino. Sevilla.

La expedición del portugués Fernando de Magallanes (h. 1475-1521) hacia Oceanía contó con el patrocinio del emperador Carlos V, tras ser rechazado por la Corona de Portugal.

Para auténticas miserias, las que sufrieron en la expedición de Magallanes que narra Pigafetta. Algunos fragmentos resultan impresionantes. Cruzado ya el estrecho que comunicaba el Atlántico con el mar del Sur:
"...estuvimos tres meses sin probar clase alguna de viandas frescas. Comíamos galleta: ni galleta ya, sino su polvo, con los gusanos a puñados, porque lo mejor habíanselo comido ellos; olía endiabladamente a orines de rata. Y bebíamos agua amarillenta, putrefacta ya de muchos días, completando nuestra alimentación los "cellos" de cuero de buey, que en la "cofa" del palo mayor protegían del roce a las "jarcias"; pieles más que endurecidas por el sol, la lluvia y el viento. Poniéndolas a remojo del mar cuatro o cinco días y después un poco sobre las brasas se comían no mal; mejor que el serrín, que tampoco despreciábamos. Las ratas se vendían a medio ducado la pieza y más que hubieran aparecido".

En *Rumbo a las Indias*, de
Gonzalo Zaragoza. Madrid. Anaya. 1992.

La conquista de los grandes imperios

El primer choque entre los colonos y los indígenas se produjo muy tempranamente: el fuerte que Colón había construido en la isla Española (diciembre de 1492) con los restos de la nao Santa María, y en el que dejó una treintena de hombres mientras él regresaba a España, fue destruido por los indios. En principio, Colón pretendía implantar el modelo portugués de factorías costeras fortificadas desde las que poder comerciar con los indígenas. Sin embargo el sistema no funcionó, por lo que los colonos, para procurarse alimentos y riquezas, comenzaron a organizar expediciones armadas al interior de las islas. Colón impuso a los indios trabajos forzosos y tributos, y envió un numeroso grupo a España, que fue devuelto por la reina Isabel la Católica.

Conquistadas y pacificadas las Antillas, los españoles se dispusieron a conquistar el continente: Hernán Cortés se trasladó con una flota de once naves de Cuba a México; llevó consigo 550 hombres, algunos cañones y 17 caballos, y consiguió el apoyo de los tlaxcaltecas y de los totonacas, enemigos de los aztecas, que le proporcionaron

La conquista de los grandes imperios

un numeroso contingente de guerreros. Así pudo entrar en la capital, Tenochtitlán, y retener al soberano. La sublevación de los aztecas le obligó a retirarse momentáneamente -"Noche Triste" (30 de junio de 1520)-. Poco después tuvo lugar la batalla de Otumba (7 de julio). Tras la ejecución de Cuauhtémoc, el último emperador azteca, Hernán Cortés se apoderó de todo su imperio.

Francisco Pizarro navegó desde Panamá hasta Túmbez, en el Perú, con un pequeño ejército de 180 hombres y 37 caballos. Atravesó los Andes, y en Cajamarca se encontró con el Inca acompañado de varios miles de guerreros, que no pudieron evitar el apresamiento de su jefe por los españoles. Pizarro tomó la capital y fundó la ciudad de Lima (1535). Manco Cápac fracasó en su ataque a Cuzco (1536) y organizó posteriormente la resistencia en la región montañosa de Machu-Picchu. La captura y ejecución de Túpac Amaru, su hijo, puso fin al imperio incaico (1572), cumpliéndose así la profecía de Viracocha, que, según la tradición, había anunciado la destrucción del imperio por unos extranjeros barbados.

Francisco Pizarro. Anónimo. Archivo de Indias. Sevilla.

Francisco Pizarro (1478-1541), conquistador del Perú.

Alegoría de la prisión de Moctezuma, Anónimo. Museo de América. Madrid.

El odio contra los aztecas de los pueblos sometidos a su poder y la confusión de Moctezuma, que tomó a Cortés por Quetzalcóatl, facilitó el éxito de Hernán Cortés. De igual manera, la guerra civil entre los incas -Atahualpa y Huáscar se disputaban el poder- y su inicial creencia en el carácter divino de los españoles, a los que consideraban enviados de Viracocha, les debilitaron frente a Pizarro. A los españoles les resultó más difícil dominar a los indios nómadas, prácticamente incontrolables e irreductibles. Caso singular fue el de los araucanos, pueblo del centro de Chile, que se mantuvieron en rebeldía hasta el último tercio del siglo XIX.

La controvertida figura de Hernán Cortés (1488-1547) simboliza los problemas ligados a la conquista de América por las tropas españolas. En el cuadro, se ve el momento en que Hernán Cortés apresa al emperador azteca Moctezuma.

La expansión española en el Pacífico

Los españoles no mostraron gran interés por conquistar Norteamérica más allá de México, aunque enviaron expediciones y varios exploradores la recorrieron de Este a Oeste. Se sintieron más atraídos por la continuación de las navegaciones por el recién descubierto Océano Pacífico. Así, López de Legazpi tomó posesión de las islas Filipinas en 1565, que tomaron su nombre del monarca español Felipe II, y fueron incorporadas al virreinato de Nueva España (México). Su capital, Manila, fundada en 1571, contó pronto con obispado, audiencia, universidad e imprenta. Las Filipinas se comunicaban con Acapulco (México) por una vía marítima, la "Carrera de Acapulco", que era recorrida anualmente por el "galeón de Manila", barco de entre 700 y 900 toneladas que transportaba los productos objeto de comercio entre Hispanoamérica y Oriente, sobre todo plata mexicana y productos de lujo orientales. Las Filipinas se mantuvieron bajo soberanía española hasta 1898. Los españoles descubrieron también las islas Carolinas y del Almirantazgo y, posteriormente, las Salomón, Marquesas y Nuevas Hébridas.

La utopía en la conquista del Nuevo Mundo

La recta comprensión del descubrimiento y conquista del Nuevo Mundo exige tener en cuenta la enorme influencia que en ello tuvieron el ideal de evangelización y la utopía -los renacentistas habían recuperado los viejos mitos de la "edad de oro", del "retorno a la naturaleza", del "buen salvaje", etc.-. Religión y utopía animaban a los españoles a aspirar a un mundo mejor. Hubo incluso un género literario utópico español, al que pertenecen, por ejemplo, las novelas pastoriles, los libros de caballerías, la "Oda a la vida retirada", de Fray Luis de León, y el libro *Menosprecio de corte y alabanza de aldea*, de Fray Antonio de Guevara. Igualmente utópicos eran los ideales defendidos por Don Quijote, el gran personaje creado por Cervantes.

El Nuevo Mundo era para los españoles el lugar ideal para erigir "la mejor de las Repúblicas", como fue definida la utopía por Tomás Moro. América se identificó con la nueva "Tierra de Promisión" y con el "Jardín del Edén". Los eclesiásticos, por su parte, soñaban con un nuevo reino de Dios, con la "Nueva Jerusalén", ideales que les animaron a ensayar diversos procedimientos para conseguir la integración pacífica de los indios. A la utopía se debió el que los conquistadores confundieran mito y realidad y buscaran obsesivamente El Dorado, la Fuente de la Eterna Juventud, las Siete Ciudades Encantadas o de Cíbola, la Montaña de la Plata, el lago donde dormía el Sol y el país de las Amazonas. Las grandezas y miserias de la conquista se comprenden mejor a la luz de la utopía y de su contraste con la realidad que los conquistadores encontraron en aquel nuevo mundo.

El Dorado, grabado de Los Grandes Viajes de Teodoro de Bry (s. XVI y XVII).

El Dorado resume el caracter mítico de la conquista de América; alude a las leyendas clásicas de ciudades repletas de oro y a los relatos indígenas de un jefe (Dorado) a quien se cubría de oro antes de bañarse en un lago.

El Jardín de las delicias, Hieronymus el Bosch. Museo del Prado. Madrid.

Se piensa que algunas de las imágenes que componen el famosísimo cuadro pintado en torno a 1510 podrían hacer referencia a las Antípodas, posibles recreaciones imaginarias de lo que sería América.

"Las siete ciudades encantadas. En 1539 se divulgó enormemente en Nueva España la fama de siete ciudades misteriosas que había visto el fraile llamado Fray Marcos de Niza. Habiendo contemplado fray Marcos, junto con el negro Estebanico de Orantes, antiguo compañero de Álvar Núñez, las siete ciudades de Cíbola en la región que después se llamó "Nuevo México", se preparó la expedición de Francisco Vázquez de Coronado, que, precedida por la gente de Melchor Díaz, recorrió las tierras de Cíbola, deshaciendo el encanto de las siete ciudades, que no pasaban de ser unas aldeas indígenas construidas en roca. Las viviendas tenían formas fantásticas por ser de varios pisos construidos en piedra".

En *Historia del descubrimiento y conquista de América*, de Francisco Morales Padrón. Madrid. Editora Nacional. 1971.

IMÁGENES DE AMÉRICA LATINA

Indios, colonos y encomenderos

Códice Mendoza. MS. Arch. Seld. A. 1, fol. 2r, Bodleian Library, Oxford.

Una vez instalados en territorio americano, comienza la labor de ocupación y explotación de la tierra. Para ello, los colonos y encomenderos se servirán de los indígenas.

El encuentro entre el Viejo y el Nuevo Mundo no se produjo pacíficamente. La necesidad de poner en explotación los territorios recién descubiertos se tradujo en el sometimiento del indio a un régimen de semiesclavitud, lo que provocó las protestas de los religiosos y la intervención, en su defensa, de las autoridades españolas, que llegaron incluso a ordenar la interrupción de la conquista.

Los pueblos indígenas a la llegada de los españoles

Las gentes que los españoles hallaron en el Nuevo Mundo eran muy heterogéneas y de muy diverso grado de desarrollo tecnológico y cultural. La mayoría, excepto los aztecas y los incas, se encontraba en plena edad de piedra. Eran cazadores y recolectores nómadas, su mundo espiritual era de carácter animista, y apenas habían desarrollado técnicas para obtener alimentos artificialmente; su agricultura se limitaba a algunas plantas -maíz, mandioca, yuca, patatas-, y su dieta era muy pobre en proteínas. Incluso los más evolucionados, los aztecas y los incas, disponían de muy escasos animales domésticos; desconocían la rueda, el arado y la metalurgia del hierro, y sus formas de escritura más avanzadas eran de carácter jeroglífico. Vivían

Primera representación de los indios del Nuevo Mundo. Grabado publicado entre 1497 y 1504. Museo Británico. Londres.

Los conquistadores creyeron que los indígenas, a los que llamaron indios, tenían una identidad común, cuando realmente sus culturas eran muy variadas.

encerrados en sus mundos, prácticamente incomunicados, sin posibilidad, por tanto, de intercambiar conocimientos.

"*Su mantenimiento principalmente es raíces de dos o tres maneras, y búscanlas por toda la tierra; son muy malas, y hinchan los hombres que las comen. Tardan dos días en asarse, y muchas de ellas son muy amargas, y con todo esto se sacan con mucho trabajo. Es tanta la hambre que aquellas gentes tienen, que no se pueden pasar sin ellas, y andan dos o tres leguas buscándolas. Algunas veces matan algunos venados, y a tiempos toman algún pescado; mas esto es tan poco, y su hambre tan grande, que comen arañas y huevos de hormigas, y gusanos y lagartijas y salamanquesas y culebras y víboras, que matan los hombres que muerden, y comen tierra y madera y todo lo que pueden haber, y estiércol de venados, y otras cosas que dejo de contar, y creo averiguadamente, que si en aquella tierra hubiese piedras las comerían. Guardan las espinas de pescado que comen, y de las culebras y otras cosas, para molerlo después todo y comer el polvo de ello*".

En *Naufragios y Comentarios*, de Alvar Núñez de Vaca.
Edición de Roberto Ferrando. Madrid. *Historia 16*. 1984.

La demografía india

No existe acuerdo a la hora de estimar el número de indios a la llegada de los españoles. Los historiadores dan cifras que oscilan entre 13 y 60 millones en el conjunto del subcontinente. Sin embargo, la mayoría coincide en señalar que se produjo un descenso de la población como resultado de la conquista y que hasta mediados del siglo XVIII no dio comienzo la recuperación demográfica.

El descenso de la población se ha atribuido a diversas causas: destrucción de las condiciones y de las formas de vida naturales y tradicionales, lo que habría producido entre los indios una profunda desmoralización -"desgana vital"- que redujo el índice de nacimientos; carencia de defensas ante los nuevos virus y microbios -viruela,

La demografía india

tifus, gripe, sarampión, etc.- llegados de Europa, que en el caso de Nueva España acabaron con la vida de un tercio de la población entre 1576 y 1581; dureza del trabajo, especialmente el de las minas, guerras y violencia de la conquista, etc. La causa fue, quizá, la conjunción de todos estos factores, no el deseo consciente de los conquistadores de exterminar a los indios, pues sus planes excluían la perspectiva de un Nuevo Mundo despoblado: los colonos necesitaban mano de obra para la explotación de los recursos de la colonia, y la Corona, por su parte, se había propuesto extender las fronteras de la cristiandad mediante la evangelización de los indios.

Fuente: Museo de América.

La emigración española al Nuevo Mundo

La Corona favoreció la emigración e instalación de colonos en las Indias, pero estableció un rígido sistema de selección de los candidatos. Limitó los permisos de emigración a los católicos de reconocida rectitud moral. El mayor porcentaje de los emigrantes de la primera época de la conquista lo formaron andaluces, extremeños y castellanos, a quienes se añadieron más tarde gentes de otras regiones de España, vascos sobre todo. Respecto a su origen social, hubo una mayoría de agricultores, pastores y artesanos. Pasados los primeros años de la

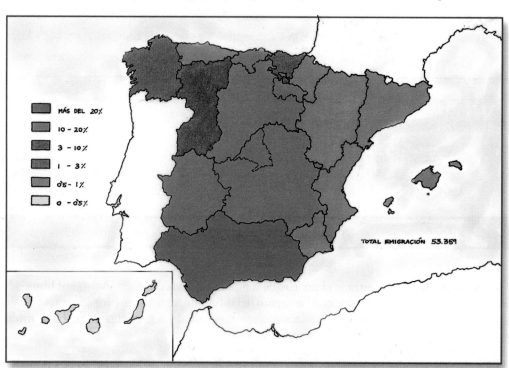

Procedencia de la emigración española a América (1493-1600).

La emigración española al Nuevo Mundo

conquista, fueron numerosos los hidalgos, nobles de segundo rango, que emigraron a las Indias en busca de honores y riquezas. Se estima entre 200.000 y 300.000 el número de españoles que se instalaron en el Nuevo Mundo en el siglo XVI. Los arbitristas, pensadores que se plantearon y analizaron las causas de los problemas de la España de los siglos XVI y XVII, consideraron la emigración a las Indias una pérdida de capital humano perjudicial para el país.

Colonos y encomenderos

Aunque los conquistadores se plantearon la aventura americana como una situación temporal, por lo que no fueron acompañados de sus familias, la mayoría optó por quedarse en el Nuevo Mundo y rehacer allí sus vidas. Aquellos soldados ocasionales se convirtieron en colonos y, como tales, dieron comienzo a la tarea de roturación y explotación de las tierras y de los recursos mineros.

Según el derecho medieval, las tierras baldías pertenecían a la Corona, que las cedía a particulares a cambio de que las cultivaran. Este sistema se implantó también en el Nuevo Mundo, excepto en el caso de las tierras de las comunidades indígenas, que fueron respetadas. Tras una etapa inicial de ocupación desordenada de las tierras, las autoridades reglamentaron su concesión a los colonos. Una disposición de 1591 regularizó su posesión y explotación. Sin embargo, fue frecuente la ocupación ilegal, lo que originó violencia contra los indios, corruptelas administrativas y conflictos entre la Corona y los colonos.

Ajenos al afán de lucro y desconocedores del trabajo remunerado, los indígenas, como no podía ser de otra manera, mostraban escasa predisposición hacia el mismo. Los españoles, faltos de apoyos jurídicos para obligarles a trabajar, recurrieron a la encomienda o repartimiento, sistema de origen medieval que básicamente consistía en poner bajo la tutela de los colonos a grupos de indios a quienes debían educar y

Miniatura de un códice mexicano conservado en la Biblioteca Nacional de Madrid.

Indios trabajando en una industria textil.

evangelizar a cambio de su trabajo. En última instancia se trataba de disponer de mano de obra barata y de asegurar la producción. El sistema se aplicó por vez primera en La Española en 1503. Sentó un mal precedente, pues estableció un modelo de relaciones de dominio próximas a la esclavitud y favoreció la estructuración señorial de la sociedad. Existió otro tipo de encomienda, temporal, remunerada y controlada por los poderes públicos, la llamada "mitaya".

Si la mano de obra indígena era necesaria para la agricultura, aún lo era más para la minería, por lo que se aprovecharon algunos de los sistemas indígenas de trabajo obligatorio, sobre todo la "mita" incaica, a la que se recurrió por vez primera en la explotación del mercurio de Huancavélica (Perú) y de plata de Potosí (Bolivia). Desde finales del siglo XVI predominó en las minas de Nueva España (México) el trabajo voluntario y asalariado, pero este no se generalizó en el conjunto de la colonia hasta el siglo XVIII.

La resistencia del indio al trabajo y su escasa productividad obligaron a importar esclavos africanos, cuyo número se estima en aproximadamente un millón durante todo el período colonial. El sistema habitual seguido por la Corona, que se reservó el comercio de esclavos en régimen de monopolio, fue la cesión a un particular de la licencia correspondiente, a cambio del pago de una tasa por cada esclavo importado. Posteriormente se instituyó

Colonos y encomenderos

el "asiento" o venta del derecho de importación. Aunque el primer "asiento" se concedió en 1517 a una compañía italiana, del comercio de esclavos se encargaron los portugueses, que disponían de numerosas bases en África, y, desde el siglo XVII, los franceses, holandeses e ingleses.

Los esclavos negros fueron instalados en las zonas de cultivo de la caña de azúcar: Cuba, Santo Domingo, Puerto Rico, Brasil y costas del Caribe. Los esclavos urbanos, los llamados "ladinos", gozaban de mejor situación que los rurales y podían conseguir con más facilidad, mediante compra, su libertad.

"No hubo potencia en la Europa occidental que no participara en alguna medida en el tráfico negrero; cuatro, empero, preponderaron en él. Del principio al final hubo portugueses, quienes fueron los que mayor cantidad de esclavos transportaron. Los ingleses dominaron la trata durante el siglo XVIII. En tercer lugar se sitúan, también en el siglo XVIII, los holandeses, y luego los franceses. A la cola figuran, por períodos más o menos cortos, daneses, suecos, alemanes y norteamericanos, pero nunca los españoles".

En *La esclavitud africana en América Latina y el Caribe*, de Herbert S. Klein. Madrid. Alianza Editorial. 1986.

El mestizaje

El escaso número de mujeres que acompañaron a los conquistadores fue la causa fundamental de la promiscuidad sexual y de la alta frecuencia del concubinato, practicado por la mayoría, que dio origen al mestizaje, hecho realmente singular de las colonizaciones española y portuguesa. El mestizaje se explica, pues, como resultado de estos factores, no de la ausencia de prejuicios étnicos entre los conquistadores. Comenzó en el primer momento de la conquista y se mantuvo durante toda la época colonial. Se incrementó con la importación de esclavos africanos y con la autorización de los matrimonios mixtos en 1514. Al mestizo, hijo de español e india, se añadió el mulato, hijo de español y negra, y el zambo, hijo de pareja indoafricana. Los cruces entre unos y otros dieron origen a una heterogénea sociedad multirracial y a una gran variedad de tipos humanos, que recibieron el nombre genérico de castas y diversos nombres cada grupo: "tresalbo", "cambujo", "cuarterón", "cholo", etc., generalmente con sentido despectivo. Estos grupos étnicos, más los mulatos que los mestizos, fueron marginados por la Administración colonial, que desde finales del siglo XVI estableció sistemas -"habilitaciones", "gracias al sacar"- de compra de la redención de su condición y de equiparación con los blancos. A pesar de que el crecimiento y variedad del mestizaje contribuyó a flexibilizar las relaciones sociales, los prejuicios raciales se afirmaron con el transcurso del tiempo, sobre todo en el siglo XVIII.

De castizo y mestiza, chamizo, Miguel Cabrera, 1763. Museo de América, Madrid.

Iberoamérica es un continente fundamentalmente mestizo.

Los dominicos denuncian los abusos de los encomenderos

Tres fuerzas entraron en litigio a la hora de plantearse la integración de los indígenas: los colonos, que necesitados de mano de obra para la agricultura y la minería habían conseguido la implantación de la encomienda; la Iglesia, que condenaba esta forma de servidumbre por ser contraria al espíritu evangélico, y la Corona, que quería acabar con los abusos y se esforzaba en encontrar fórmulas para obligar a los indios a trabajar sin lesionar sus derechos.

Los colonos-encomenderos solían hacer caso omiso de las leyes y explotaban a los indios que les habían sido asignados. Contra sus abusos se levantó inmediatamente la Iglesia: el dominico Fray Antonio de Montesinos pronunció un sermón en la Navidad de 1511, en Santo Domingo (La Española), que marcó el comienzo de la lucha de los religiosos en defensa de los indios:

"Esta voz dice que todos estáis en pecado mortal y en él vivís y morís, por la crueldad y tiranía que usáis con estas inocentes gentes. Decid, ¿con qué derecho y con qué justicia tenéis en tan cruel y horrible servidumbre a estos indios? ¿Con qué autoridad habéis hecho tan detestables guerras a estas gentes que estaban en sus tierras mansas y pacíficas, donde tan infinitas de ellas, con muertes y estragos nunca oídos, habéis consumido? ¿Cómo los tenéis tan opresos y fatigados, sin darles de comer ni curarlos de sus enfermedades, que de los excesivos trabajos que les dais incurren y se os mueren, y por mejor decir los matáis por sacar y adquirir oro cada día? ¿Y qué cuidado tenéis de quien los doctrine, y conozcan a su Dios y Criador, sean bautizados, oigan misa, guarden las fiestas y los domingos? Estos, ¿no son hombres? ¿No tienen ánimas racionales? ¿No sois obligados a amarlos como a vosotros mismos? ¿Esto no entendéis, esto no sentís? ¿Cómo estáis en tanta profundidad, de sueño tan letárgico, dormidos? Tened por cierto que, en el estado en que estáis, no os podéis más salvar que los moros o turcos que carecen y no quieren la fe de Jesucristo".

Sermón de Navidad de Fray Antonio de Montesinos.

Los colonos-encomenderos protestaron y acusaron a Montesinos de atentar contra la ley. Sus denuncias, sin embargo, fueron oídas en España y, en consecuencia, se dictaron las Leyes de Burgos (1512), las de Valladolid (1513) y las *Ordenanzas sobre el buen trato de los indios* (1526), que prohibieron maltratar a los indios.

La lucha del padre Las Casas en defensa de los indios

El sermón de Montesinos impresionó a Bartolomé de Las Casas (1474-1566), colono-encomendero que en 1522 ingresó en la orden dominica y posteriormente fue nombrado obispo de Chiapas (México). Las Casas dedicó su vida a la defensa de los indios. Denunció en su *Brevísima relación de la destrucción de las Indias* (1552) las injusticias y los abusos de los colonos y encomenderos. En Cumaná (Venezuela) y en Vera Paz (Guatemala) puso en práctica, sin éxito, sus ideas sobre la integración pacífica de los indios. En España expuso sus tesis ante el cardenal Cisneros, regente del reino, ante el rey y ante el Consejo de Indias, y participó en la Controversia de Valladolid (1550-1551), reunida al objeto de fijar la forma en que debía llevarse a cabo la conquista y colonización sin perjuicio para los indígenas. En Valladolid combatió las alegaciones de Juan Ginés de Sepúlveda, teólogo aristotélico defensor de la tesis de que, por ley natural y en su propio bien, los pueblos incultos deben someterse a los civilizados hasta su plena culturización e integración en la comunidad cristiana.

Fray Bartolomé de las Casas, Anónimo. Museo Colombino, Sevilla.

El padre Las Casas denunció los abusos de los colonos y encomenderos.

IMÁGENES DE AMÉRICA LATINA

La lucha del padre Las Casas en defensa de los indios. Las Leyes Nuevas

Las tesis de Las Casas inspiraron a los redactores de las *Leyes Nuevas* (1542), que prohibieron la concesión de nuevas encomiendas y establecieron la desaparición de las existentes a la muerte de su titular. Los colonos reaccionaron contra tales disposiciones: en el Perú (1544-1547), Gonzalo Pizarro, hermano del conquistador, estuvo a punto de ser nombrado rey por sus exaltados partidarios. La metrópoli tuvo que rectificar y reconocer (1545) la tenencia de las encomiendas durante dos generaciones. Aun así, en Nueva España (México) se produjo (1564-1566) una nueva rebelión de los colonos, que, en este caso, ofrecieron la corona al hijo de Hernán Cortes. De hecho, las Leyes Nuevas no se aplicaron nunca en su totalidad, pero aliviaron la situación de los indígenas. Además, el Consejo de Indias dejó de otorgar permisos de descubrimientos y conquistas (abril de 1550) hasta tener una idea más clara de la forma en que debían llevarse a cabo.

El mayor éxito de Las Casas consistió en lograr concienciar a las autoridades metropolitanas de la existencia del problema indígena y en provocar una polémica sobre el mismo y sobre diversos aspectos de la colonización. Su apasionamiento y su propuesta de importar esclavos africanos para así librar a los indios del trabajo no restan grandeza a su noble empresa.

"En cuanto a la composición de la Brevísima Relación, se sabe que fue precedida de amplias exposiciones orales, lo que supondría una primera redacción muy detallada, en la famosa Junta vallisoletana de 1542 convocada para examinar los problemas de las Indias, y posiblemente, el mismo año, ante el propio Carlos V. Habiéndosele pedido al prolijo expositor que pusiese por escrito más sumariamente la materia de tan copioso memorial de agravios, empezó acto seguido a redactar una versión más compendiosa, concluyéndola -como indicó al final- en Valencia, adonde acompañara al príncipe don Felipe, encargado entonces del gobierno, a 8 de diciembre de 1542. Destinada la obra a los gobernantes, y en primer lugar al príncipe, a quien parece que fue presentada, puédese pensar que se sacaron de ella varias copias. En todo caso pasarían diez años de que, dada a la imprenta -casi secretamente- por su autor, saliera la Brevísima de su reducido círculo oficial para empezar poco a poco a difundirse hasta volverse un libro público, iniciando por cuenta propia su extraordinaria carrera bibliográfica".

En "Introducción" a *Brevísima relación de la destrucción de las Indias*,
de Bartolomé de Las Casas. Edición de André Saint-Lu. Madrid. Cátedra. 1993.

Las polémicas en torno a los derechos de los indios

Las denuncias de los dominicos fueron el origen de apasionadas polémicas sobre los derechos de los indios y sobre la legalidad del dominio español en el Nuevo Mundo. Las tesis sobre estas cuestiones de un grupo de teólogos-juristas ligados a la Universidad de Salamanca alcanzaron una gran altura intelectual. Aquellos teólogos crearon un avanzado cuerpo de doctrina ético-política de validez universal e intemporal sobre el poder, la guerra, la libertad, la soberanía y los derechos humanos, tal vez la más valiosa aportación de la cultura española a la modernidad renacentista.

La junta convocada por Fernando el Católico (Burgos, 1512) trató la cuestión de la legalidad -los "justos títulos"- de la conquista española, y dedujo que el Papa, por su calidad de representante de Dios, tenía potestad para entregar el Nuevo Mundo a los reyes de España, argumento que fue aceptado por la Corona. Así, las bulas papales y la evangelización de los indios se convirtieron en el principio legitimador de la conquista y del dominio español en América. El argumento de la evangelización tuvo una importancia capital, pues supuso reconocer a los indios racionalidad, es decir, capacidad para comprender los misterios de la religión y, por tanto, condición humana. Una vez reconocida esta, hubo que admitir su personalidad jurídica. Por ello, a partir de entonces, fueron considerados súbditos de la Corona de Castilla poseedores de derechos. La elevación del indio

Las polémicas en torno a los derechos de los indios

de simple bárbaro a cristiano potencial y súbdito de Castilla puso en tela de juicio la legalidad de las guerras que se le hacían, la de la ocupación de sus territorios, la del "Requerimiento", la de las encomiendas y la de los títulos justificativos de la conquista.

El dominico Matías de Paz llamó la atención -*De la autoridad que tienen los reyes de España sobre los indios*- sobre la contradicción entre el espíritu cristiano y la explotación de los indios. El jurista Palacios Rubios defendió los derechos de los españoles -*Sobre las islas de la mar océana*- y redactó el Requerimiento, documento que los responsables de las expediciones tenían que leer ante los jefes indios para invitarles a someterse a la soberanía de Castilla y prevenirles sobre las consecuencias de su rechazo. El también dominico Francisco de Vitoria (1480-1546), creador de la escuela moderna de Derecho internacional, basó su doctrina en el principio de la igualdad jurídica de los seres humanos; cuestionó la legalidad del poder español en América, negó validez a las bulas papales, autoridad al emperador para conquistar las Indias y la existencia de razones para someter a los indios y para hacerles la guerra. Sólo admitió como títulos legítimos el derecho de los españoles a comerciar

Fray Bartolomé de las Casas, *Félix Parra, 1875. Museo Nacional de Arte. Ciudad de México.*

A finales del XIX surgió la corriente del "indigenismo historicista". Muchos artistas evocaron algunos aspectos controvertidos de la conquista española.

en libertad, a concertar pactos con los indígenas, a evangelizarlos pacíficamente y a intervenir en su defensa. Sostuvo que la guerra nunca es lícita como instrumento de propagación del Evangelio.

"Hay otro título, y es el sexto que se alega, a saber: la elección voluntaria. Cuando llegan los españoles a las Indias, dan a entender a los bárbaros cómo son enviados por el rey de España para su propio bien, y les exhortan a que lo reciban y acepten como a rey y señor; y ellos responden que están de acuerdo. Pues "nada más natural, que dar por válida la voluntad del dueño que quiere transmitir su dominio a otro", como se dice en el capítulo de las Instituciones.

Pero yo formulo esta conclusión: Tampoco este título es idóneo.

Primero, porque es evidente que no debería intervenir el miedo y la ignorancia que vician toda elección. Pero esto es precisamente lo que más interviene en aquellas elecciones y aceptaciones, pues los bárbaros no saben lo que hacen, y aun quizá ni entienden lo que les piden los españoles. Además, esto lo piden gentes armadas que rodean a una turba inerme y medrosa.

Por otra parte, teniendo ellos, como se dijo antes, sus propios gobernantes y príncipes, no puede el pueblo sin causa razonable aceptar nuevos jefes en perjuicio de los anteriores. Ni por el contrario tampoco pueden sus mismos jefes elegir nuevo príncipe sin consentimiento del pueblo. Y no dándose en esas elecciones todos los requisitos necesarios para una decisión legítima, de ninguna manera este título es legítimo ni es idóneo para ocupar y obtener aquellos territorios".

En *Relectio de Indis*, de Francisco de Vitoria.
Edición crítica bilingüe por L. Pereña y J.M. Pérez. Madrid. CSIC. 1967.

Las polémicas en torno a los derechos de los indios

Los argumentos de los teólogos-juristas se apoyaban en la tradición política española de origen medieval que conceptuaba el poder fruto del acuerdo entre los súbditos y su príncipe. Por ello rechazaron también la razón de Estado, que anteponía la política a la ética, y el concepto de soberanía ilimitada, y justificaron el uso de la violencia como procedimiento para librarse del tirano. El gran humanista valenciano Luis Vives proclamó la ilegalidad de todas las guerras y rechazó la distinción entre justas e injustas: "Todas las guerras son guerras civiles". El padre Juan de Mariana justificó el tiranicidio.

Las doctrinas de los teólogos-juristas influyeron en los legisladores, de manera que se promulgó un conjunto de leyes para la organización de la colonia, las Leyes de Indias, que insistían en la prohibición del maltrato a los indígenas. Sin embargo, esa misma insistencia ponía de manifiesto que los indígenas eran frecuentemente víctimas de abusos y violencias.

La conquista y colonización de Brasil

Los portugueses repitieron en Brasil el sistema de colonización que ya habían empleado en la costa africana: establecimiento de factorías costeras fortificadas desde las que organizaban expediciones hacia el interior de los territorios. Como no encontraron grandes riquezas, aquellos asentamientos no tuvieron, al principio, otra función que capturar indios, obtener del árbol brasil, que dio nombre al país, un tinte rojo para los tejidos y, sobre todo, servir de refugio, en caso de necesidad, a las flotas que hacían la ruta de Las Indias.

La Corona delegó la conquista a particulares, a nobles de segundo rango, los "donatarios", a quienes cedía enormes extensiones territoriales y parte de los rendimientos obtenidos, y les otorgaba derechos jurisdiccionales, fiscales y administrativos. Las donaciones eran vitalicias, hereditarias e indivisibles. Los colonos que se instalaban en los dominios señoriales estaban sometidos a un régimen de dependencia que les obligaba a pagar impuestos a su señor y a servir en su ejército. De esta manera, los portugueses implantaron un sistema social feudal y de producción basado en el sometimiento y explotación de la mano de obra indígena y de los esclavos negros importados de sus territorios africanos. "Donatarios", gobernadores, productores de azúcar y

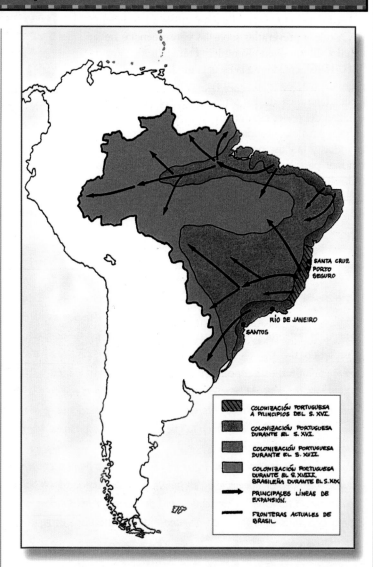

Evolución de la conquista y colonización del territorio brasileño, primero por las tropas portuguesas y a partir del s. XIX por las brasileñas.

IMÁGENES DE AMÉRICA LATINA

52

La conquista y colonización de Brasil

"fazendeiros" o terratenientes estaban situados en la cúspide de una sociedad rígida y jerárquicamente estructurada.

La resistencia de los indios al trabajo obligó a importar esclavos negros desde fechas muy tempranas. Los esclavos se destinaban fundamentalmente al cultivo de la caña de azúcar. La rentabilidad de este cultivo y el constante aumento de la extensión de tierras dedicadas al mismo explican la también constante importación de esclavos africanos.

La ruina del mercado de las especias, que había dejado de ser rentable a causa de la rivalidad de los comerciantes genoveses y venecianos, revalorizó el valor económico del Brasil. La Corona recortó entonces las atribuciones de los "donatarios" (1549) y creó quince capitanías, circunscripciones territoriales que a partir de la costa alcanzaban, teóricamente, hasta las fronteras con los territorios españoles al Oeste. Estaban dirigidas por capitanes generales dependientes del Gobernador General. El primero de ellos, Tomé de Sousa, fundó la ciudad de San Salvador de Bahía, la primera capital de la colonia. El Gobierno General impulsó la colonización del interior, pero nunca se llegó a penetrar profundamente en la Amazonia. El objetivo de la colonización era la búsqueda de oro, la caza del indio y la ocupación de sus tierras, que eran explotadas hasta su agotamiento por los "fazendeiros", lo que obligaba a roturar nuevas tierras en una incesante marcha hacia el interior. La Corona estableció un rígido monopolio sobre el comercio con la colonia y lo centralizó en Lisboa, de igual manera que los españoles lo habían hecho en Sevilla. En cuanto al gobierno local, los consejos o cámaras municipales gozaban de amplia autonomía.

Los portugueses no se plantearon con criterios ético-jurídicos el problema de los indígenas, por lo que nunca legislaron un cuerpo jurídico equiparable a las Leyes de Indias españolas. Tampoco establecieron un sistema administrativo tan complejo como el español, por lo que el incumplimiento de las normas y la corrupción administrativa fueron aún más frecuentes que en Hispanoamérica.

También como en los dominios españoles, los jesuitas llevaron a cabo en el Brasil una importante labor evangelizadora, docente y de protección de los indígenas. También fundaron, como en Hispanoamérica, reducciones, en las que culturizaban a grupos de indígenas a salvo de señores y colonos. En 1574 consiguieron la proclamación de la libertad de los indios de las reducciones, a la vez que la Corona reconocía el derecho de los colonos a someter a esclavitud a los indios vencidos en las guerras, a los antropófagos y a los que voluntariamente vendieran su libertad. La política indigenista de los jesuitas chocó con los intereses de las oligarquías locales, que se negaban a prescindir de la "caza del indio" para su venta como esclavo.

Asalto a la ciudad de San Salvador de Bahía. Grabado del siglo XVI. Biblioteca Nacional. Madrid.

Las capitanías como la de Salvador de Bahía, en tiempos del rey portugués Juan III, eran las circunscripciones territoriales en que se dividió el territorio brasileño. La población estaba integrada por indígenas libres o esclavos, negros esclavos y blancos libres.

"En el siglo XVI y XVII, España -no puede decirse lo mismo de Portugal- había concebido un sistema colonial que fue modelo para las otras naciones europeas, el más respetuoso, en suma, con la humanidad colonizada. En esto coinciden todos los historiadores contemporáneos".

En *Historia de América Latina*, de Pierre Chaunu.
Editorial Universitaria de Buenos Aires. 1997.

IMÁGENES DE AMÉRICA LATINA

Colonización y organización de las Indias

Murallas de Cartagena de Indias.

Los españoles crearon un imperio entre 1492 y mediados del siglo XVI que abarcaba los vastos territorios comprendidos entre el sur de los actuales Estados Unidos y la Tierra del Fuego, en el extremo meridional de la actual Argentina. Durante la primera mitad del siglo XVI, los españoles pacificaron y colonizaron extensos territorios, fundaron numerosas ciudades, roturaron las tierras, construyeron vías de comunicación, puentes y puertos; desarrollaron la producción de manufacturas y el comercio, y pusieron en explotación los recursos mineros. Para llevar a cabo tan ingente tarea necesitaban mano de obra abundante, por lo que tuvieron que obligar a los indios a trabajar e incluso importar esclavos africanos.

Terminada la conquista, este término se sustituyó por el de colonización, los conquistadores se convirtieron en colonos y el poder civil sustituyó al militar. La Iglesia y los eclesiásticos llevaron a cabo una apasionada defensa de los indios y, en consecuencia, la metrópoli extendió a las Indias el sistema jurídico castellano y dictó un extenso cuerpo legal, las Leyes de Indias, que fijó los derechos de los nuevos súbditos y organizó la administración.

El sistema político-administrativo

Las Indias se integraron -Cortes de Valladolid (1518)- en la Monarquía Hispánica como un reino más, por lo que se les aplicó el sistema jurídico-administrativo de Castilla. Este hecho ha movido a algunos historiadores a formular la tesis de que las Indias no fueron jurídicamente colonias, término este que no se utilizó hasta el siglo XVIII.

En consecuencia, con la situación político-jurídica derivada de la promulgación de las Leyes de Indias, agentes reales desplazados desde España sustituyeron en muy poco tiempo a los conquistadores en la administración y gobierno de las Indias y se esforzaron en hacer cumplir las leyes a los colonos, lo que dio origen a las primeras fricciones entre los españoles de América y los de España.

Los órganos metropolitanos de gobierno de las Indias fueron la Casa de Contratación de Sevilla y el Consejo de Indias. Aquella, creada en 1503, controlaba el comercio indiano, que se organizó en régimen de monopolio, ejercía de aduana y de tribunal mercantil, recaudaba los impuestos y se encargaba de la contabilidad indiana; era también una escuela de pilotos y cartógrafos y un centro de investigación. El Consejo Real y Supremo de las Indias, fundado en 1524, institución responsable de la administración del Nuevo Mundo, ejercía como tribunal superior para todos los asuntos civiles y criminales, y proponía al rey los candidatos para cubrir los puestos gubernativos, administrativos y religiosos.

Mapa de la organización administrativa de las Indias en la segunda mitad del siglo XVI.

Órganos del poder real en las Indias eran los virreyes, las Audiencias y las Gobernaciones. La máxima autoridad era el virrey, representante del monarca, capitán general, gobernador y presidente de la Audiencia de su demarcación; nombraba a los funcionarios, era el jefe supremo de la Administración, y estaba sometido, como todos los funcionarios, a los sistemas de control establecidos por la Corona. Hubo cuatro virreinatos: Nueva España (México, 1536), Perú (Lima, 1542), Nueva Granada (Bogotá, 1739) y Río de la Plata (Buenos Aires, 1776). En cada virreinato había varias Reales Audiencias, formadas por magistrados -oidores- que desempeñaban funciones judiciales, consultivas, políticas y administrativas.

Las Gobernaciones eran los órganos de administración provincial. Sus titulares, los gobernadores, eran jueces de primera instancia y tenían asignados poderes militares y administrativos. Los ayuntamientos se encargaban, como en España, del gobierno de ciudades y pueblos. Estaban presididos por alcaldes, de elección popular desde 1507. Alcaldes y funcionarios municipales -regidores, alguacil mayor, fiscal, escribanos, etc.- formaban el cabildo o consejo municipal.

IMÁGENES DE AMÉRICA LATINA

El sistema político-administrativo

La administración municipal gozaba de amplia autonomía, como era tradicional en España, hasta que en 1531 se decidió nombrar al frente de los consejos municipales a corregidores y alcaldes mayores, según la importancia de la ciudad. Los nuevos mandatarios reales asumieron múltiples funciones administrativas, de policía, hacendísticas, etc. Los tenientes de corregidor actuaban como representantes suyos en los núcleos urbanos de menor importancia.

La Corona dictó una extensa variedad de disposiciones legales, que fueron sistematizadas y recopiladas: *Cedulario de Puga, Código de Ovando, Cedulario Indiano, Recopilación de las Leyes de los Reinos de Indias* (1680) y *Nuevo Código de las Leyes de Indias* (1792). La aplicación de las leyes y la labor de los funcionarios eran controladas por la Administración central: todos los funcionarios y todos los organismos públicos estaban sometidos a la inspección de los agentes reales (Régimen de visitas);

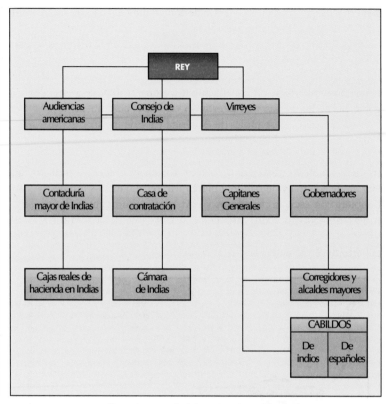

Organigrama administrativo vigente desde el siglo XVI hasta el XVIII (hasta 1770/85)

todas las autoridades y todos los cargos, incluidos los virreyes, tenían que rendir cuentas de su gestión al término de la misma (Juicios de residencia); todos los administrados podían recurrir ante los tribunales los actos administrativos (Capítulos de agravio). Sin embargo, la lejanía de la metrópoli, la vasta extensión de los territorios, la dificultad de las comunicaciones y la presión de las oligarquías favorecieron la corrupción administrativa y el incumplimiento de las leyes. De hecho, los colonos solían irónicamente comentar que las órdenes reales se acataban pero no se cumplían.

El sistema fiscal español fue trasladado a las Indias. Entre los impuestos, la alcabala y el almojarifazgo gravaban, respectivamente, las transacciones y el comercio; la "avería", impuesto sobre las mercancías y los pasajeros del comercio de Indias, se destinaba a sufragar los gastos de la flota protectora de los barcos mercantes. La Corona percibía la quinta parte, el "quinto real", de la producción minera.

La sociedad colonial

Muy pronto se produjo entre los españoles un cambio en la valoración del indio: de encarnación del "buen salvaje" pasó pronto a ser considerado simplemente bárbaro. Los indios eran, para la mayoría de los colonos, primitivos, indolentes e idólatras. Desde su perspectiva, los sacrificios humanos, la antropofagia y la resistencia al trabajo de los indígenas eran costumbres primitivas que había que erradicar.

Los españoles tomaron pronto conciencia de su mayor grado de desarrollo cultural y tecnológico y de su posición de grupo dominante. De ello se derivó un intenso orgullo y un sentimiento de superioridad y de pertenencia a

La sociedad colonial

un rango superior, entendida esta superioridad no como atributo racial, sino como cualidad adquirida con esfuerzo y sacrificio individual. Estos sentimientos explican también la actitud de los colonos y de sus descendientes con los españoles recién llegados a las Indias, los "chapetones", que eran vistos como advenedizos que venían a aprovecharse de su trabajo y de sus sufrimientos, y, sobre todo, con los agentes reales, que les imponían unas normas establecidas por un poder lejano y por burócratas desconocedores de la realidad indiana. A la oposición entre los colonos y los agentes reales enviados desde España siguió el distanciamiento creciente entre estos y los hijos y descendientes de aquellos, los criollos, cada vez más reticentes a obedecer a la metrópoli, a la que comenzaron a acusar de poner obstáculos al disfrute de su esfuerzo y de proteger más los intereses de los indios que los de los españoles.

A pesar de su sentimiento de superioridad, los españoles no consideraban a los indios enemigos que debían exterminar, sino infieles que debían ser cristianizados e integrados en su comunidad sociopolítica, para lo que era necesario que aceptaran sus formas de comportamiento, su código de valores y sus normas de funcionamiento, el trabajo entre ellas. Las autoridades tomaron conciencia de las dificultades que entrañaba conseguir la asimilación de los indígenas sin limitar los derechos que les habían otorgado. Fue preciso, por tanto, organizar dos modelos de sociedad: la india y la española, con estatus diferentes y deberes y derechos acordes con sus respectivos grados de desarrollo y necesidades.

De la misma manera que en muy poco tiempo se había transformado la imagen del indio "buen salvaje" en indio bárbaro, también en muy poco tiempo se pasó a considerarle un ser desvalido y necesitado de ayuda. La política indigenista española fue desde entonces intensamente paternalista; tuvo como objetivo la asimilación de los indios a salvo de los abusos de encomenderos, hacendados y funcionarios corruptos, y partía del convencimiento de que no podía aplicárseles el mismo tratamiento que a los españoles. Por estas razones se les excluyó del ámbito jurisdiccional de la Inquisición y del sistema fiscal general, se les eximió de obligaciones militares, se protegieron sus lenguas y se reconoció a las comunidades indígenas la propiedad de sus tierras. Por los mismos motivos se crearon cargos públicos y tribunales especializados que velaban por la seguridad jurídica de los indios y por la de sus personas y bienes: Protector de Indios en el Consejo de Indias (1556), Protector de Indios en las Audiencias (1563), Juzgados de Indios de México (1573) y Lima (1603). A pesar de los beneficios que para los indios se derivaron

Escena que representa los primeros pasos de la sociedad colonial. Museo de América.

Las crónicas de los conquistadores transmiten al lector tanto la euforia y la pasión que provocó el descubrimiento de un territorio sin explorar como el misterio de una naturaleza indómita.

del sistema tutelar que se les impuso, este les segregó de la sociedad hispana y los situó en los últimos puestos del escalafón social.

La sociedad del Nuevo Mundo distaba mucho de ser homogénea. En la cúspide de la misma se hallaban los virreyes y altos funcionarios, generalmente nobles, la alta jerarquía eclesiástica, los grandes propietarios y los comerciantes ricos; por detrás de esta elite se situaba un sector social intermedio de funcionarios modestos, profesionales varios, clérigos de grado medio o inferior, pequeños comerciantes y pequeños propietarios agrícolas. El último escalafón de la pirámide social lo formaban los mestizos e indios, y finalmente los esclavos.

La sociedad colonial

Antonio de Mendoza. Primer virrey de Nueva España, Anónimo. Museo de América. Madrid.

El virrey era, como representante del soberano español, la máxima autoridad en su demarcación.

Las relaciones entre las autoridades coloniales y las comunidades indias se canalizaban a través de sus jefes o caciques -"curacas" en el Perú-, que nombraban a los funcionarios indígenas. Los españoles facilitaron el acceso de la aristocracia indígena a los cargos funcionariales en sus lugares de origen y su vinculación a su sistema de honores y de ascenso social. Es decir, se creó una extensa red de intereses comunes a la aristocracia española y a la indígena que reforzó la estabilidad de la sociedad indiana.

España fue, como señalan muchos historiadores, el primer país europeo que se planteó ética y jurídicamente su acción conquistadora, que elaboró un cuerpo de doctrina jurídica sobre la misma y que legisló a favor de los sometidos.

En la conquista y colonización españolas hubo, en suma, luces y sombras, grandezas y miserias. De todas maneras, y en comparación con las de las demás potencias europeas, debe destacarse que los españoles integraron a los indígenas en un sistema de convivencia regulado por las leyes, aunque a veces, por falta de referencias y modelos a seguir y por la necesidad de obligarles a trabajar, aquel sistema tuvo efectos no deseados.

El imperio misional

Las bulas papales, fundamento jurídico de la conquista, y el reconocimiento a los Reyes Católicos de facultades relevantes en los asuntos religiosos de la colonia -Patronato Real de Indias, que también ostentaron los monarcas portugueses en Brasil-, entre ellas el derecho a presentar los candidatos para cubrir los puestos eclesiásticos, significaron, en la práctica, la identificación entre los poderes temporal y espiritual, razón por la que algunos historiadores hablan de "imperio misional". Sin embargo, a pesar de la estrecha colaboración entre Iglesia y Estado, la delimitación de sus funciones respectivas y la frecuente divergencia entre sus intereses fueron origen de fricciones y malentendidos.

La evangelización fue obra de las órdenes religiosas, franciscanos, dominicos, mercedarios, agustinos y jesuitas, que la llevaron a cabo bajo la supervisión de la Corona. A medida que se pacificaban los territorios, los curas párrocos comenzaron a sustituir en esta tarea a los misioneros. La catequesis se llevaba a cabo en los conventos y monasterios, y en las misiones en las zonas periféricas y en las alejadas de los núcleos de población. La Iglesia se hizo cargo de la enseñanza y desempeñó importantes tareas asistenciales en beneficio de los indios. Una de las más relevantes creaciones de la Iglesia fueron las reducciones, de las que serían modélicas las jesuíticas del territorio guaraní

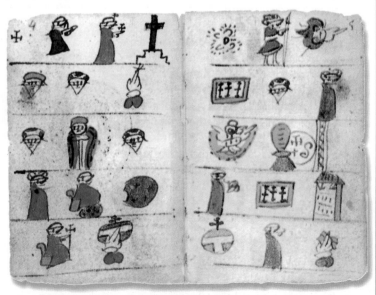

Catecismo para instrucción de los indios, *Anónimo (1583).*
Los catecismos solían acompañarse de textos en castellano y en lenguas indígenas como el quechua y el aymara.

El imperio misional

durante el siglo XVIII, que consiguieron integrar y culturizar pacíficamente a miles de indios.

Los españoles fundaron en el Nuevo Mundo numerosos obispados, dependientes del arzobispado de Sevilla hasta la creación a mediados del siglo XVI de los de Santo Domingo, México, Lima y Bogotá. El Tribunal de la Inquisición fue instituido en las Indias en 1509, pero no comenzó a funcionar hasta el último tercio de la centuria. Nunca actuó con tanto celo represivo como en España, entre otros motivos porque sólo se permitía la emigración a los católicos de reconocida fe y moralidad. A los indios se les mantuvo siempre al margen de la jurisdicción inquisitorial.

> *"Mientras que la creencia en la legitimidad de la esclavitud impidió al mundo antiguo plantearse el respeto del otro, el universalismo cristiano iba a ser la base desde la que construir el respeto al "otro" en un primer momento, y el respeto a su cultura inmediatamente después. No es casual que fueran las exigencias pastorales de los misioneros jesuitas en el inmenso continente latinoamericano lo que llevó al aprendizaje de las lenguas indígenas y a la elaboración de gramáticas y diccionarios que han permitido conservar las lenguas amerindias. Pues el intento de convertir al otro a la religión propia exige convencer, y eso no puede hacerse por la fuerza. Es posible esclavizar por la violencia; no es posible convertir por la violencia. Lo último exige razonar y hablar la lengua del interlocutor, sumergirse en su cultura, aceptarlo como parte de un diálogo entre adultos. De ahí la ambivalencia en las prácticas de trato hacia los indios que muestra la historia de la conquista y de la colonización, entre el modelo de la esclavitud propio de la sociedad antigua y el modelo de la conversión y el respeto que exigía el proyecto misionero".*
>
> En *Culturas, estados, ciudadanos. Una aproximación al multiculturalismo en Europa,*
> de Emilio Lamo de Espinosa (ed.). Madrid. Alianza Editorial. 1995.

Las actividades económicas básicas: agricultura y minería

Agricultura y minería fueron las actividades económicas básicas de la época colonial. Los españoles llevaron a cabo una verdadera revolución agrícola en el continente: introdujeron nuevos cultivos (cereales, cítricos, caña de azúcar, vid, olivo y leguminosas); desarrollaron las técnicas agrícolas con el empleo del arado y de la tracción animal, y perfeccionaron los regadíos. La ganadería, escasamente desarrollada en la América prehispánica, experimentó un notable auge con la aclimatación de todas las especies europeas, lo que significó una notable mejora en los hábitos alimenticios de los indígenas y tuvo un fuerte impacto en extensas regiones hasta entonces selváticas y sin explotar.

La oposición existente en España entre agricultores y ganaderos se produjo también en las Indias, sobre todo a causa del rápido auge de la ganadería ovina, que transformó en pastizales extensas regiones indias tradicionalmente agrícolas. Este hecho constituyó un factor más de discordia en las relaciones entre los indios y los colonos. La actividad agropecuaria se llevó a cabo básicamente en régimen de propiedad latifundista, que algunos historiadores consideran precedente de las grandes haciendas y estancias de nuestros días.

La producción de plata -minas de Potosí, Oruro, Zacatecas, Durango, etc.- fue siempre mucho más importante que la de oro. El máximo de producción se consiguió entre mediados del siglo XVI y finales del primer tercio del XVII. Gran parte de la plata se dedicaba a la acuñación de moneda local. Según datos del historiador francés Chaunu, entre 1503 y 1660 las Indias exportaron a España 300 toneladas de oro y 25.000 de plata.

La actividades económicas básicas: agricultura y minería

Las minas, igual que las tierras baldías, pertenecían a la Corona, que a cambio del impuesto del "quinto real", el 20% de la producción, concedía su explotación a particulares. Un porcentaje de este impuesto se invertía en las propias Indias. A final del capítulo se verán los negativos efectos que tuvo en España la importación masiva de metales preciosos americanos.

Gran desarrollo alcanzó entre las industrias manufactureras la de la seda en Nueva España (México), que gozaba de excelente reputación, pero que sufría la competencia de la oriental traída por el "galeón de Manila". Importantes actividades fueron también el cultivo de la caña de azúcar y la extracción de este producto en los "ingenios" y "trapiches".

El comercio indiano

La Corona organizó el comercio con las Indias en régimen de monopolio hasta el siglo XVIII. Lo canalizó a través de la Casa de Contratación de Sevilla, y lo reservó exclusivamente a los puertos de Sevilla y Cádiz, a los que luego añadió otros en el Mediterráneo y en el Cantábrico, pero siempre bajo el control de Sevilla. Puertos autorizados al comercio en América eran los de Cartagena de Indias, Nombre de Dios (Portobelo) y Veracruz. A causa de los ataques de piratas y corsarios, desde 1526 los barcos mercantes no podían navegar sin protección, y tenían que seguir siempre la misma ruta, la "Carrera de Indias", que desde 1564 se organizó en dos expediciones anuales, la de Nueva España y la de Cartagena de Indias, que regresaban juntas a España tras reunirse en La Habana.

A pesar del monopolio castellano, el contrabando, que era practicado incluso por algunos españoles y por las propias autoridades coloniales, y la rivalidad de las potencias europeas, que aspiraban a romper el monopolio, impidieron que España obtuviera grandes beneficios de aquel comercio. El comercio interamericano más activo se desarrollaba en el marco de extensas unidades económicas regionales que espontáneamente se formaron en los territorios virreinales.

La cultura hispanoamericana en el siglo XVI. Las crónicas de Indias

El afán evangelizador evitó la desaparición de las lenguas autóctonas -se estima en 133 el número de lenguas que se hablaban en América a la llegada de los españoles-, ya que el adoctrinamiento de los indígenas se solía hacer en sus propias lenguas. Los "doctrineros", clérigos encargados de enseñar la doctrina cristiana, tenían previamente que demostrar sus conocimientos de las lenguas indígenas. Con fines didácticos se publicaron numerosas obras sobre temas religiosos, especialmente en lengua náhuatl, la más hablada en México, y en quechua, la lengua de los incas, que de esta manera se convirtieron en vehículo de ex-

presión culta. En 1547 publicó Fray Andrés de Olmos una gramática náhuatl, y en 1560 apareció la gramática quechua de Fray Domingo de Santo Tomás. En realidad, la expansión del español en América no se produjo hasta después de la independencia. Fue impulsada por los libertadores, que concebían la unidad lingüística continental premisa de la política. Parece exagerado, por tanto, identificar colonización con aculturación forzada de los indígenas.

Fueron muchas las gramáticas que se escribían pensando en la evangelización de la población indígena.

La cultura hispanoamericana en el siglo XVI. Las crónicas de Indias

La Iglesia se encargó de la enseñanza durante todo el período colonial. La educación primaria se impartía en las escuelas conventuales, la secundaria en colegios religiosos y la superior en las universidades. Existían también centros de enseñanza privados. Los hijos de las elites indias se formaban en colegios, entre los que fue modélico el de Santa Cruz de Tlatelolco, fundado en 1536 en la ciudad de México por el obispo Fray Juan de Zumárraga.

La metrópoli favoreció desde fechas muy tempranas la creación de universidades, a fin de "honrar y favorecer las Indias y extirpar en ellas las tinieblas y la ignorancia". La primera de todas fue la de Santo Tomás de Aquino (1538), en la isla Española. La seguirían la de San Marcos de Lima y la de México (1551). A finales del siglo XVII había en Hispanoamérica veintiséis universidades, doce más se fundaron en el siglo XVIII y dos, las de Mérida (Venezuela) y León (Nicaragua), a comienzos del XIX. A la mayoría se le reconoció el estatus y los privilegios de la de Salamanca. Derecho, Filosofía, Artes, Teología y Medicina eran las disciplinas comúnmente enseñadas.

También la imprenta comenzó a funcionar muy tempranamente en Hispanoamérica, primero en las dos grandes capitales virreinales, México (1535) y Lima (1583), y posteriormente en las ciudades principales. A comienzos del siglo XIX se fundaron las de Montevideo, Caracas, San Juan y Guayaquil. Desde 1539 hubo también editores.

El tomismo, que reinterpretó la filosofía aristotélica y proporcionó una base racional a la antropología cristiana, fue la corriente de pensamiento católico predominante en Hispanoamérica y Brasil durante el siglo XVI. Gran influencia ejercieron también el erasmismo, doctrina formulada por el holandés Erasmo de Rotterdam, que modernizó el cristianismo, y la metafísica autónoma del jesuita Francisco Suárez, que concilió tomismo y modernidad renacentista.

En cuanto a la literatura de ficción, la novela estuvo prácticamente ausente de la producción local. Los romances, poemas narrativos resultado de la evolución de la épica y de la lírica medievales, se enriquecieron en el Nuevo Mundo con la adición de temas relacionados con la conquista. La más relevante producción épica del siglo XVI hispanoamericano fue *La Araucana*, del español Alonso de Ercilla y Zúñiga (1533-1594), gran crónica rimada sobre la resistencia de los indios araucanos, sobre los que el autor manifiesta gran admiración. Por el contrario, Pedro de Oña (1570-1643), nacido en Chile, autor de *El Arauco domado*, exalta a los españoles.

Yo soy Caupolicán, que el hado mío
por tierra derrocó mi fundamento,
y quien del araucano señorío
tiene el mando absoluto y regimiento,
la paz está en mi mano y albedrío
y el hacer y afirmar cualquier asiento
pues tengo por mi cargo y providencia
toda la tierra en freno y obediencia.

Canto XXXIIII de *La Araucana*,
de Alonso de Ercilla.

Las representaciones teatrales en el Nuevo Mundo dieron comienzo inmediatamente después de terminada la conquista. Los misioneros escenificaban temas religiosos que representaban en las lenguas indígenas y con participación de los fieles, lo que hizo del teatro un útil instrumento de evangelización y adoctrinamiento. Posteriormente, los jesuitas, en sus colegios, organizaron también representaciones con fines educativos. El teatro alcanzó así, como en España, un enorme éxito popular.

Reproducción facsimilar de la portada de La Araucana, 1590.

La cultura hispanoamericana en el siglo XVI. Las crónicas de Indias

La conquista y colonización del Nuevo Mundo dieron origen a una singular literatura entre la crónica histórica y la narración descriptiva, las llamadas crónicas de Indias. Los cronistas de Indias eran autores ocasionales que dejaron constancia de los hechos históricos y aportaron valiosa información sobre las Indias, sus habitantes, costumbres y cultura, flora y fauna, etc. Su lenguaje es sobrio, preciso y espontáneo. La nómina de cronistas es muy extensa: Francisco López de Gómara: *Historia General de las Indias*; Gonzalo Fernández de Oviedo: *Historia General y Natural de las Indias, Islas y Tierra Firme del Mar Océano*; Pedro Velasco: *Geografía y descripción universal de las Indias*; Bernal Díaz del Castillo: *Verdadera Historia de los sucesos de la conquista de la Nueva España*. Hubo también cronistas indios y mestizos, entre ellos el inca Garcilaso de la Vega (1539-1616), autor de *Comentarios Reales* y de *Historia General del Perú*. Igualmente valiosas por el inmenso caudal de datos que aportan son las *Relaciones Geográficas de Indias*, elaboradas por conquistadores, marinos, exploradores y funcionarios.

> "*El guayabo es un árbol de buena vista, y la hoja de él casi como la del moral, sino que es menor, y cuando está en flor huele muy bien, en especial la flor de cierto género de estos guayabos; echa unas manzanas más macizas que las manzanas de acá, y de mayor peso aunque fuesen de igual tamaño, y tienen muchas pepitas, o mejor diciendo, están llenas de granitos muy chicos y duros, pero solamente son enojosas de comer a los que nuevamente las conocen, por causa de aquellos granillos; pero a quien ya la conoce es muy linda fruta y apetitosa, y por de dentro son algunas coloradas y blancas; y donde mejores yo las he visto es en el Darién, y por aquella tierra, que en parte de cuantas yo he estado de Tierra Firme; las de las islas no son tales, y para quien la tiene en costumbre es muy buena fruta, y mucho mejor que manzanas*".

"Sumario" de la *Natural Historia de las Indias*, de Gonzalo Fernández de Oviedo. Madrid. *Historia 16*. 1986.

El arte colonial y el desarrollo del urbanismo

El arte colonial es una prolongación de los estilos españoles, cuya ornamentación se enriqueció con la adición de motivos autóctonos. Entre las creaciones más interesantes de la época de la conquista, la catedral de Santo Domingo es de estructura gótica y fachada plateresca. El plateresco, estilo eminentemente español que marcó la transición entre el gótico y el renacimiento, adoptó en América una rica gama de elementos ornamentales de tipo floral. El mudéjar, resultado de la fusión de elementos hispanomusulmanes con los estilos cristianos, arraigó también en Hispanoamérica, sobre todo en la arquitectura popular.

La Catedral de la Ciudad de México es uno de los grandes templos construidos por unos conquistadores convertidos ya en colonizadores.

Gran templo del arte hispanoamericano es la catedral renacentista de México, de Claudio de Arciniega, que se comenzó a construir en 1563. Otros templos mexicanos como la catedral de Puebla son del mismo estilo y características. Grandes catedrales de la época son también las de Lima y Cuzco. Las residencias urbanas continuaron el estilo tradicional andaluz. La pintura y la escultura no alcanzaron tan alto nivel de calidad como la arquitectura. La escuela escultórica de Quito y la pictórica de Cuzco adaptaron los estilos hispanos a la estética indígena, logrando así un arte ingenuo de gran fuerza didáctica.

El arte colonial y el desarrollo del urbanismo

Los españoles fundaron decenas de ciudades e innumerables núcleos de población rural. Su fundación se llevaba a cabo según planes previamente establecidos. En 1573 dictó Felipe II las *Ordenanzas para Descubrimientos, Nuevas poblaciones y Pacificaciones*, que organizaron la actividad urbanística. En lugar de reproducir el modelo de sus ciudades medievales de origen, levantadas en lugares altos de fácil defensa, amuralladas y de calles laberínticas, los españoles diseñaron las ciudades del Nuevo Mundo según planos en cuadrícula, de calles que se cruzan en ángulo recto. La plaza mayor era, y sigue siéndolo en muchos casos, como en España, el centro de la ciudad y lugar de convivencia. Ejemplo destacado de ciudad colonial era México, levantada por los españoles sobre la capital azteca, Tenochtitlán, "la ciudad más bella del mundo", en palabras de Hernán Cortés. Gran capital virreinal, México se embelleció aún más en los siglos XVII y XVIII con espléndidos edificios barrocos.

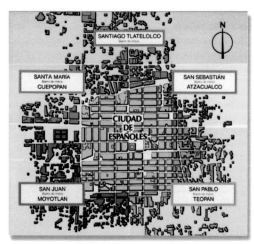

Adaptación cristiana de la ciudad de México sobre las ruinas de Tenochtitlán que reproduce la idea del universo azteca.

"La vigencia que todavía tiene la plaza mayor hispanoamericana se debe a su adecuación a la forma de vida que desde su creación, en el siglo XVI, hasta hoy día se desarrolla en el ámbito de América Latina. La plaza, corazón de la ciudad, es su núcleo generador, el modelo estructural que determina toda su armazón urbana. En el espacio racionalmente regulado del damero o parrilla, en la geométrica simetría del plano de la ciudad".

En *Urbanismo en España e Hispanoamérica*, de Antonio Bonet Correa. Madrid. Cátedra. 1991.

Las consecuencias de la conquista y colonización de América

El descubrimiento de América tuvo inmediata repercusión en España y en el resto de Europa: obligó a interpretar el mundo desde una nueva perspectiva, contribuyendo así al nacimiento de la ciencia moderna. La economía experimentó una profunda transformación, de la que surgió el capitalismo moderno; las rivalidades imperiales fortalecieron los nacionalismos y el intervencionismo de las monarquías en sus respectivos estados, lo que marcó el fin del orden medieval basado en la hegemonía del Papa y el emperador como autoridades supremas. Los españoles tuvieron que dar respuesta a los problemas derivados de la organización de tan vastos territorios, de la explotación de sus recursos y de la definición del estatus de los indios en el seno de la monarquía.

El descubrimiento y colonización de América tuvieron enorme trascendencia en la economía. La llegada a España de los metales preciosos americanos y la demanda del mercado indiano impulsaron, al principio, el desarrollo de la industria y de las manufacturas. Sin embargo, la abundancia de plata y oro, añadida a otros factores como las crisis agrarias, dio origen a una inflación constante -"revolución de los precios"- que obligó a la Corona a depreciar las monedas y a endeudarse con la banca extranjera. Además, el alto coste de fabricación, a causa del alza de la inflación, elevó a tales extremos el precio de los productos españoles que resultaba más barato importarlos que fabricarlos, lo que se tradujo en la ruina de la burguesía empresarial, en la salida de España de los metales preciosos y en la quiebra frecuente de la Hacienda, que no podía hacer frente al pago de los intereses de la deuda.

Los metales preciosos americanos también provocaron en los países receptores de los mismos un proceso inflacionista que, al contrario que en España y por ser más moderado, impulsó las inversiones y la producción. Aunque muchos españoles se dieron cuenta de la relación entre abundancia de metales preciosos e inflación, el desconocimiento que en aquella época se tenía de las causas de los fenómenos económicos impidió poner en práctica las medidas adecuadas para controlar los precios y desarrollar la industria.

IMÁGENES DE AMÉRICA LATINA

La época barroca

Sor Juana Inés de la Cruz, *Retrato Anónimo.*

La vida y la obra de Sor Juana Inés de la Cruz sintetizan las luces y las sombras del Barroco hispanoamericano. La defensa de la libertad de juicio y la apasionada reivindicación de los derechos de la mujer tropezaron con el oscurantismo de la época.

En el siglo XVII, los españoles de América comenzaron a tomar conciencia de su especificidad frente a los españoles de España. Durante la centuria se consolidó la organización jerárquica de la sociedad indiana, surgieron las grandes explotaciones agropecuarias de las haciendas y las estancias, y las potencias europeas -Francia, Inglaterra y Holanda- intentaron instalarse en los territorios coloniales españoles y portugueses y romper el monopolio ibérico en el comercio indiano. El barroco artístico incorporó muchos elementos decorativos autóctonos, por lo que arraigó profundamente y adquirió gran autonomía respecto a los modelos europeos.

El fin del exclusivismo hispanoportugués en América

Europa sufrió una intensa crisis durante el siglo XVII, el siglo barroco. La crisis tuvo varios frentes: económico, como resultado de la "revolución de los precios", lo que se tradujo en el aumento de la inflación, del paro y de la pobreza; social: revoluciones populares y antiabsolutistas en todo el continente; bélico: Guerra de los Treinta Años y Paz de Westfalia (1648), que instauró el nuevo orden político europeo de los estados nacionales, soberanos y absolutistas; y espiritual: generalización de un profundo sentimiento de desengaño y pesimismo vital -pesimismo barroco- generados por las desgracias de la centuria.

La guerra europea se trasladó también al Nuevo Mundo, donde franceses, ingleses y holandeses intentaban establecerse, acabar con el monopolio hispanoportugués y apropiarse de los navíos que transportaban los cargamentos de metales preciosos. Los franceses consiguieron instalarse en las islas Martinica, Guadalupe, Granada, Santa Lucía, San Bartolomé y otras, así como en la parte occidental de La Española, en Haití. También lo intentaron en Cuba, donde fueron rechazados. Los holandeses hostigaban, como los ingleses, a los barcos españoles, y centraron sus ataques contra el Brasil. En 1624 tomaron la ciudad de Bahía, que fue más tarde recuperada por una escuadra española. Posteriormente ocuparon otras ciudades brasileñas -Santos, Pernambuco, Recife, etc.- y una extensa franja de terreno al noreste del país. Fueron expulsados definitivamente en 1654, excepto de Surinam y de las islas de Curaçao, Oruba y San Eustaquio.

Los ingleses practicaron la piratería contra las naves españolas, a la vez que atacaban, sin éxito, algunas ciudades costeras. Se apoderaron de Barbados, San Cristóbal, Antigua, Jamaica, Belice y las Bahamas. Algunas pequeñas islas antillanas, Tortuga entre ellas, sirvieron de refugio a los piratas y bucaneros, que se dedicaban al pillaje de las flotas españolas.

Los ataques a las posesiones españolas preocuparon a la monarquía, que tuvo que reforzar la defensa de los convoyes de la "Carrera de Indias", incrementar la vigilancia en el Caribe y

La piratería en el reino de Nueva España. *Grabado francés del siglo XVII.*

El comercio entre la Península y las Indias estuvo amenazado permanentemente por la acción de los piratas y corsarios franceses (en el siglo XVI), británicos y holandeses (en el XVII).

fortificar las ciudades estratégicamente importantes -La Habana, Santiago de Cuba, Veracruz, San Juan de Puerto Rico, Cartagena de Indias, etc.-, pero los daños y las pérdidas territoriales fueron mínimos. De hecho, el imperio hispanoamericano todavía no había alcanzado el máximo de su extensión territorial, lo que se conseguirá en el siglo XVIII con la incorporación de la Luisiana francesa.

Franceses, holandeses e ingleses rivalizaban por la ocupación de la América del Norte. En septiembre de 1620 llegaron a las costas de Massachusetts los colonos británicos del Mayflower, creadores de Nueva Inglaterra, colonia de la que nacerían los actuales Estados Unidos de Norteamérica. Los españoles, que nunca habían mostrado gran interés por los territorios del Norte, se mantuvieron prácticamente al margen de aquellos conflictos. Las nuevas potencias colonizadoras no se plantearon la legalidad de sus conquistas. Erigieron un nuevo orden socio-político que para nada tuvo en cuenta a los aborígenes, que fueron perseguidos y exterminados casi en su totalidad.

"No en vano se cita la llegada de los Padres Peregrinos del "Mayflower" como la primera piedra de la civilización norteamericana. Estos grupos representaban una estrategia de poblamiento: las poblaciones indígenas fueron barridas, y las tierras, ocupadas con la máxima continuidad posible".

En *América*, de Jean Gottman. Labor. 1966.

Las unidades de producción: haciendas, estancias y reducciones jesuíticas

A medida que se desarrollaba la estructura productiva colonial, la economía de Hispanoamérica se hizo menos dependiente de la española y comenzó a formarse un tejido industrial, sobre todo de manufacturas textiles y de construcción de barcos. Sin embargo, el descenso de la producción de plata y la crisis económica se tradujeron en la reducción de la circulación de dinero y del tráfico comercial interamericano y con España. Además, la inflación constante aumentó el valor de los bienes inmuebles y, sobre todo, de las propiedades agrícolas, pero perjudicó a los industriales y a los comerciantes, de manera que la economía de signo agrario recuperó la relevancia que estaba perdiendo en beneficio de la industrial y comercial. En la centuria se formaron las grandes propiedades agrícolas y ganaderas, las haciendas y las estancias, unidades de producción y consumo escasamente abiertas al comercio que prolongaron en el tiempo la organización señorial y rural tradicional. La concentración de la propiedad se incrementó a lo largo del siglo con la ocupación por los terratenientes de numerosos "resguardos", bosques y pastos propiedad de las comunidades indígenas.

Indios mexicanos trabajando en reducciones. Biblioteca Nacional. Madrid

Las reducciones eran agrupaciones indígenas dirigidas por religiosos misioneros.

Los jesuitas fundaron reducciones en el territorio guaraní del actual Uruguay, en California, Bolivia, norte de México y la Amazonia, en zonas cedidas por la Corona. En las reducciones, los indios, sometidos a una estricta reglamentación y a salvo de encomenderos y colonos, eran pacíficamente culturizados y educados en la fe cristiana, aprendían oficios, trabajaban la tierra en régimen de cooperativa y producían manufacturas cuya venta procuraba beneficios suficientes para una subsistencia digna y para mantener sistemas de protección social. Las reducciones gozaban de autonomía administrativa y eran dirigidas por los jefes indios bajo la supervisión de los religiosos. Por fin, las autoridades coloniales habían encontrado la fórmula que combinaba los intereses económicos con los espirituales y con el respeto de los derechos reconocidos a los indígenas.

Los jesuitas también fundaron reducciones en Brasil, donde sufrían frecuentes ataques de los "bandeirantes", cazadores de indios portugueses que incluso realizaban incursiones por los territorios españoles. La cesión a Portugal (1750) de grandes extensiones del territorio guaraní y la expulsión de los jesuitas por los portugueses (1759) y por los españoles (1767) terminó con el sistema de las reducciones. Gran número de indígenas tuvo que regresar a la selva, malográndose así una de las más grandiosas obras de la Iglesia en América.

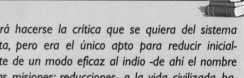

"Podrá hacerse la crítica que se quiera del sistema jesuita, pero era el único apto para reducir inicialmente de un modo eficaz al indio -de ahí el nombre de las misiones: reducciones- a la vida civilizada, haciéndole vivir varias generaciones la costumbre sedentaria del poblado. La prueba mejor de la eficacia del método se tiene en que cuando este paternalismo dejó de ejercerse por la expulsión de los jesuitas, decretada por Carlos III de Borbón en todo el imperio y metrópoli, las misiones decaen inmediatamente y los indios vuelven paulatinamente a su estado anterior, o son sometidos por opresores brasileños, prueba de su insuficiencia todavía para llevar una vida civilizada dirigida por ellos mismos. La dignificación del trabajo y de las tareas femeninas del hogar entre pueblos en los cuales la posición de la mujer, [...] era bajísima, significan por sí solos todo un proceso cultural de primera categoría...".

En *Historia de América*, de Manuel Ballesteros Gaibrois. Madrid. Ediciones Istmo. 1989.

IMÁGENES DE AMÉRICA LATINA

La emergencia de la conciencia americana entre los criollos

En el siglo XVII se produjo en Hispanoamérica un fenómeno sociológico de enorme trascendencia en el futuro de Hispanoamérica: la gestación entre los criollos de la conciencia de pertenencia a la patria americana. El término criollo designaba a los españoles nacidos en las colonias y, por extensión, a todos los españoles que participaban del sentimiento de pertenencia al mundo americano. Tuvo, al menos en sus orígenes, connotaciones peyorativas, como también la tenían los nombres que daban los criollos a los españoles de España: gachupines, chapetones, godos, etc.

La oposición de los colonos a la política tutelar de la Corona respecto a los indios continuó entre sus descendientes, los criollos, que se sentían incomprendidos por la lejana metrópoli. La ocupación de los cargos funcionariales y eclesiásticos más relevantes por los peninsulares, la corrupción administrativa y el mal gobierno incrementaron gradualmente el foso entre las dos comunidades hispanas. Los criollos afirmaban insistentemente su hispanidad ante los peninsulares, pero a la vez exaltaban a su patria americana y alababan sus excelencias. Su americanismo, sin embargo, excluía a indios, mestizos y negros. También comenzó a formarse una conciencia regionalista entre los habitantes de las demarcaciones administrativas, que serán los núcleos de los futuros estados-naciones latinoamericanos.

El siglo de la Iglesia en América

Durante el siglo XVII la Iglesia adquirió singular relieve: su poder espiritual se acrecentó con el económico, ya que acumuló grandes riquezas. Las órdenes religiosas continuaron encargándose del adoctrinamiento y culturización de los aborígenes en los territorios apartados y recién incorporados. Los franciscanos llevaron a cabo una dinámica actividad civilizadora en las misiones californianas.

Ruinas jesuíticas de Jesús del Tavarangue, Paraguay.

Las consecuencias de la expulsión de los jesuitas fueron graves: universidades y colegios donde estudiaba la juventud criolla se cerraron, y trescientos mil indios que vivían en las misiones de la Compañía quedaron abandonados a su suerte.

"El siglo XVII, denominado "el siglo de la Iglesia en América", significó la consolidación de las instituciones eclesiásticas y también la irrupción de la Iglesia como poder económico, fenómeno que no obedece a ninguna política planificada. Inicialmente, y además de la tradicional exención de impuestos reconocida al estamento eclesiástico, la Iglesia indiana cuenta con el producto de los diezmos y una serie de tierras concedidas gratuitamente por la Corona, así como la disponibilidad de la mano de obra indígena. A esto se sumarán las cuantiosas donaciones hechas a conventos y parroquias por particulares que desean así comprar misas y oraciones por la salvación de su alma. El capital obtenido se invertía principalmente en edificar templos y en comprar tierras e inmuebles, y dado que el proceso era siempre acumulativo porque las propiedades no se dividían, la Iglesia se convirtió en el primer terrateniente de las Indias, estimándose que el sector eclesiástico poseyó casi la tercera parte de las tierras cultivables, además de un enorme patrimonio en templos y casas".

En *La América española, 1492-1898. De las Indias a nuestra América*, de María Luisa Laviana Cuetos. Madrid. Historia 16-Temas de Hoy. 1996.

IMÁGENES DE AMÉRICA LATINA

La cultura. El barroco literario y artístico

La cultura iberoamericana era todavía, en los siglos XVI y XVII, esencialmente ibérica:

"No existió una cultura iberoamericana en los siglos XVI y XVII, pese a que se habla usualmente de ella. Lo que de verdad existió fue una proliferación cultural, resultado de la mezcla de la cultura dominante traída por españoles y portugueses con las infinitas que había en América. La etnohistoria no ha logrado todavía establecer la enumeración y clasificación cultural de América en estos siglos y mucho menos su tipología. Lo que usualmente llamamos cultura iberoamericana no es otra cosa que la hispano-portuguesa, que se trasplantó y desarrolló en las ciudades indianas, y en la que figuran algunas intrusiones, muy pocas, de las culturas indígenas preexistentes. En sus áreas periféricas surgieron unas culturas rurales con los rasgos peninsulares más debilitados, y en su área marginal existieron otras que se llamaron "indígenas", que combinaron viejos elementos de las culturas prehispánicas con algunos de la peninsular".

En *Historia Moderna de Historia de Iberoamérica*, Tomo II.
Manuel Lucas Salmoral (coord.). Madrid. Cátedra. 1990.

El barroco literario hispanoamericano, tanto en sus aspectos formales como de fondo, tuvo su mejor expresión en la lírica filosófico-amorosa de la hispanomexicana Sor Juana Inés de la Cruz (1651-1695), también prosista y dramaturga, versión literaria del criollismo, que llevó a cabo una valiente defensa de la mujer y de los marginados sociales.

Gran fama tuvo en el Perú de su época el español Juan del Valle y Caviedes, poeta lírico y autor satírico de inspiración quevedesca. Bernardo de Balbuena y Diego de Hojeda fueron también importantes representantes de la poesía barroca hispanoamericana. El primero canta las glorias de España y manifiesta su admiración por México: *El Bernardo, Grandeza mexicana*; el segundo compuso un poema épico-religioso, *La Cristiada*, que ejerció una intensa influencia en otros autores.

La afición por el teatro culminó en la época barroca. En las grandes ciudades, sobre todo en las dos capitales virreinales, las comedias, autos, farsas, etc., de los autores españoles gozaban de gran popularidad. Incluso los complicados autos sacramentales, dramas religiosos de grandiosas escenografías, eran seguidos con gran interés por el público. Hubo también una producción dramática local inspirada en los modelos

*"Hombres necios que acusáis
a la mujer sin razón,
sin ver que sois la ocasión
de lo mismo que culpáis".*

De Sor Juana Inés de la Cruz

*El escritor y dramaturgo nacido en México
Juan Ruiz de Alarcón escribió sobre
la realidad cotidiana.*

hispanos y adaptada a las circunstancias locales. Este fue el caso de las piezas dramáticas de Fernán González de Eslava. Notable dramaturgo fue el hispanomexicano Juan Ruiz de Alarcón (1581-1639), de sobrio estilo, cuyo teatro se distingue por su intencionalidad moralizante y crítica, por su defensa de la dignidad humana y por la humanidad de sus personajes: *La verdad sospechosa, Las paredes oyen*. De todas maneras, Ruiz de Alarcón vivió casi siempre en España, por lo que su teatro carece de elementos localistas americanos. Sor Juana Inés de la Cruz escribió autos sacramentales y comedias, entre ellas *Amor es laberinto*, en la que manifiesta interés por las cuestiones sociales.

La cultura. El barroco literario y artístico

El barroco, arte solemne y efectista, tuvo una gran difusión en Hispanoamérica, sobre todo en el virreinato de Nueva España (México), donde arraigó intensamente el churrigueresco, barroco español de rica decoración. La exuberancia barroca permitía la inserción de elementos decorativos locales que impresionaban a los fieles. Los pintores y escultores aprovecharon las inmensas posibilidades del nuevo estilo para transmitir el sentimiento religioso a la población indígena, más receptiva a las imágenes visuales que a las complicaciones teológicas. Así, el barroco se americanizó y facilitó la expresión del alma indígena y mestiza. Gran artista del siglo XVII fue el padre Carlos, seguidor de la escuela andaluza barroca, escultor de coros y sillerías.

El barroco artístico se prolongó hasta los años ochenta del XVIII, centuria en la que se construyeron los más relevantes templos en este estilo. Entre las diferentes escuelas barrocas, la mexicana se distingue por la policromía de sus muros, conseguida mediante el empleo de piedras de distinto color: Basílica de Guadalupe, Capilla del Pocito; la guatemalteca es de sobriedad contenida en la Catedral de Antigua y de profusión decorativa en Santa Rosa y San José, de la misma ciudad; la cubana, venezolana, colombiana y ecuatoriana son una prolongación de la barroco-mudéjar andaluza; la limeña se distingue por los muros almohadillados, y la argentina por su sobriedad decorativa.

Catedral de Antigua, Guatemala.

Obra del arquitecto José de Porres, la catedral de Antigua Guatemala es elocuente ejemplo del arte español en el Nuevo Mundo.

"*El arte del barroco, que en la Europa de la Reforma y de la Contrarreforma sirve de refugio a las sensualidades prohibidas, en México salva un abismo aún mayor.*

El barroco mexicano colma el vacío entre la promesa utópica del Nuevo Mundo imaginado por Europa -la política de Tomás Moro- y la realidad terrible de la colonización impuesta por Europa -la política de Nicolás Maquiavelo-. Entre Moro y Maquiavelo, Erasmo de Róterdam abre el campo del humanismo, la serena locura donde todo es relativo, tanto la fe como la razón. No hay influencia intelectual moderna más grande en el mundo hispánico que la del sabio de Róterdam.

El barroco, asimismo, abre un espacio donde el pueblo conquistado puede enmascarar su antigua fe y manifestarla en la forma y el color, ambos abundantes, de un altar de ángeles morenos y diablos blancos".

En *Los cinco soles de México. Memoria de un milenio,* de Carlos Fuentes. Barcelona. Seix Barral. 2000.

IMÁGENES DE AMÉRICA LATINA

Hacia la Independencia

Imágenes de América Latina

Biombo volador, Anónimo. Museo de América. Madrid.

*El cuadro refleja la variedad de grupos étnicos en la
sociedad del Nuevo Mundo. El juego del volador, que ocupa el centro de la imagen,
es de origen prehispánico y se mantiene hasta nuestros días.*

El siglo XVIII, el siglo de la Ilustración, fue una época de modernización, de reformas y de desarrollo. Los españoles denominaron por vez primera colonias a las Indias, lo que reflejaba el cambio de actitud de la metrópoli respecto a sus extensos territorios americanos. La economía indiana prosperó y sirvió de complemento a la española. Los españoles fomentaron la investigación científica, organizaron numerosas expediciones de sabios e investigadores y extendieron la enseñanza.

Se aumentó el número de virreinatos y los intendentes sustituyeron a alcaldes y corregidores. Muchas de las reformas administrativas y fiscales disgustaron a los criollos, que ya habían adquirido plena conciencia de su singularidad en el seno del mundo español y portugués, por lo que comenzaron a reclamar autonomía política y administrativa, que fueron frenadas por el temor a las revueltas indígenas.

El Despotismo Ilustrado. Las reformas económicas

La nueva dinastía de los Borbones, reinante en España desde comienzos del siglo XVIII, impuso una nueva forma de gobierno, el Despotismo Ilustrado, que fusionó el espíritu de la Ilustración -racionalismo, ideal de progreso, desarrollo económico, extensión de la enseñanza y de la cultura, etc.- con el absolutismo monárquico. Los monarcas del Despotismo Ilustrado pusieron en práctica un extenso plan de reformas y España y los españoles consiguieron situarse de nuevo entre las naciones y los pueblos desarrollados de Europa, culminando así una tendencia que había dado comienzo a finales de la década anterior. Carlos III (1759-1788) y sus ministros, Aranda, Campomanes y Floridablanca, fueron los dirigentes que mejor encarnaron los ideales del nuevo sistema.

Las reformas se extendieron también al continente hispanoamericano, cuya economía, de acuerdo con el "pacto colonial" característico de la época, se adecuó a la metropolitana. Hispanoamérica comenzó así a convertirse en un vasto campo de producción de materias primas. La economía se desarrolló, el nivel de vida de los criollos y de los indios mejoró, y se crearon las condiciones para la modernización de la colonia.

La política económica de los reformistas ilustrados perseguía fundamentalmente incrementar la producción y la riqueza. Con este objetivo se crearon monopolios y compañías de comercio durante la primera mitad del siglo: Real Compañía Guipuzcoana de Caracas, Real Compañía de Barcelona, Real Compañía de La Habana, Real Compañía de San Fernando de Sevilla y otras de menor importancia. Sin embargo, España había concedido a Inglaterra (1713) el derecho al envío anual de un barco a Hispanoamérica, el "navío de permiso", con 500 toneladas de mercaderías, lo que unido al contrabando significó un duro golpe para el monopolio.

Los reformistas ilustrados pasaron en muy poco tiempo del dirigismo al liberalismo económico. Por esta razón suprimieron pronto los monopolios, las compañías de comercio y la Casa de Contratación de Sevilla (1790), que había sido trasladada a Cádiz en 1718; sustituyeron el sistema de flotas de la "Carrera de Indias" por la libre navegación, y, sobre todo, decretaron la libertad de comercio. En 1765 establecieron el libre comercio con Cuba, Puerto Rico, Trinidad y Santo Domingo, importante medida que culminó con la puesta en vigor del *Reglamento y*

aranceles para el comercio libre de España e Indias (1788), que abrió 12 puertos españoles y 24 americanos al comercio. El sistema de libre comercio se generalizó en 1789.

El fin del monopolio relanzó la economía y los intercambios comerciales. Al progreso económico contribuyeron también la apertura de nuevas vías de comunicación, el aumento de la demanda y producción de café, azúcar y algodón, y la recuperación de la minería a causa de las mejoras técnicas y de la generalización del trabajo asalariado. La aplicación en la agricultura de los mismos criterios de rentabilidad que en la industria supuso un paso decisivo hacia la modernización de las estructuras agrarias.

Consejo de Indias. Grabado francés que representa una sesión de la época.

Desde 1717, el Consejo de Indias tendrá las funciones de tribunal supremo en materia judicial y la de asesor del rey en asuntos económicos y administrativos.

El fin del monopolio castellano en el comercio con América tuvo otros efectos positivos: gentes de toda España participaron en el comercio indiano, sirviendo así de factor de cohesión entre los españoles, como también lo fue en Hispanoamérica, ya que terminó con la regionalización de la economía y favoreció los intercambios entre los virreinatos. Por otro lado, la bonanza económica estimuló el aumento de la población de todos los grupos étnicos. Desarrollo económico y aumento de la población se tradujeron en progreso del urbanismo. Se fundaron, entre otras, las ciudades de Montevideo, San Francisco y Monterrey.

Las reformas administrativas

Las reformas afectaron también a la Administración, que fue modernizada y radicalmente transformada: funcionarios profesionales se encargaron de poner en práctica el programa reformista y de hacer cumplir la ley. En 1718 se creó la Secretaría de Estado para las Indias, que redujo las atribuciones del Consejo de Indias y reforzó la intervención del Estado en el diseño y ejecución de la política indiana. Se crearon dos nuevos virreinatos, el de Nueva Granada, con capital en Bogotá (1738), y el de Río de La Plata, con capital en Buenos Aires (1776). El sistema de las intendencias, recientemente implantado en España, se extendió a las Indias (1768). Las intendencias eran circunscripciones territoriales presididas por delegados reales, los intendentes, dotados de atribuciones de carácter financiero y económico, sobre seguridad y defensa, e incluso sobre la Iglesia, anteriormente desempeñadas por adelantados, gobernadores y corregidores, que desaparecieron con la nueva organización. En cada virreinato se creó un superintendente general sometido a la alta autoridad del virrey. Se crearon también las circunscripciones militares de las capitanías generales. El nuevo sistema administrativo favoreció la integración de los territorios, pero sembró la inquietud entre los criollos, que vieron en él un aumento del centralismo y del control de la colonia por parte de la metrópoli. Además, la profesionalización y funcionarización de la Administración redujeron sus posibilidades de acceder a los cargos públicos.

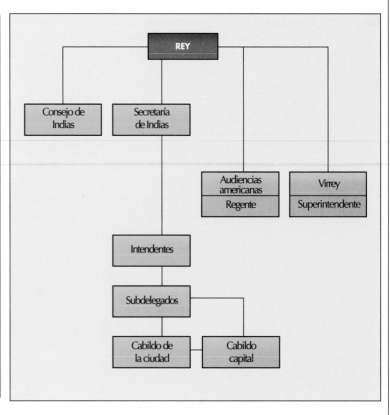

Reforma borbónica (hacia 1785) del organigrama administrativo de las Indias Occidentales.

La expulsión de los jesuitas

El laicismo del movimiento ilustrado sirvió de motor al regalismo, doctrina que defendía la autonomía del episcopado nacional y propugnaba la separación de los eclesiásticos de la enseñanza y la privatización de las propiedades de las órdenes religiosas. Los reformistas ilustrados y los regalistas consiguieron expulsar a los jesuitas de Portugal y sus colonias en 1759 y de España e Hispanoamérica en 1767. Al no existir una estructura docente pública, el vacío dejado por los jesuitas, que desde el siglo XVI venían desempeñando una intensa actividad educativa, resultó nefasto para la cultura. Además, la mayoría eran criollos, lo que aumentó el descontento de este amplio sector social.

La continuación de la expansión territorial

En el XVIII se reemprendió la expansión territorial: España ocupó Texas, obtuvo de Francia la Luisiana (1763) y recuperó la Florida, tras una breve ocupación inglesa entre 1763 y 1781. Se colonizó California y se fundaron establecimientos en la costa oeste de los Estados Unidos, que se integraron en la Comandancia General de las

La continuación de la expansión territorial

Provincias Internas, creada en 1776. Se poblaron y colonizaron extensas regiones hasta entonces prácticamente deshabitadas, sobre todo en el sur del continente; se reforzaron las defensas militares de las zonas especialmente vulnerables como las costas del Caribe, y se detuvo el avance de los portugueses en el Río de la Plata. El imperio hispanoamericano alcanzó durante la centuria su mayor extensión territorial.

"La nueva oleada de peninsulares que llegaron después de 1760 invadieron el espacio político de los criollos, así como su posición económica. La política de los Borbones tardíos consistió en aumentar el poder del Estado y aplicar a América un control imperial más estrecho. Presionaron al clero, limitaron sus fueros, expulsaron a los jesuitas, extendieron y elevaron los impuestos y degradaron a los criollos. [...] De este modo, la gran época de la América criolla, fue sustituida a partir de 1760 por un nuevo orden en que el gobierno de Carlos III empezó a reducir la participación criolla y a restaurar la supremacía española".

En *América Latina, entre colonia y nación*, de John Lynch. Barcelona. Crítica. 2001.

Bajo el reinado de los Borbones, la corona española extendió sus dominios en América hacia el Norte, penetrando en el territorio de los actuales Estados Unidos.

La apropiación del pasado indígena por los criollos

Las reformas del siglo ilustrado, en lo que significaron de aumento de la tributación y del centralismo administrativo, afirmaron entre los criollos el convencimiento de que la metrópoli actuaba en contra de sus intereses. El distanciamiento entre los españoles de América y los de España adquirió una dimensión político-cultural cuando aquellos se apropiaron del pasado indígena para forjarse una identidad americana diferente de la española. Así, muchos criollos sustituyeron la hispanidad por el americanismo como seña fundamental de identidad de su grupo. Pero ahí quedó todo; la evocación de ese pasado se convirtió en simple retórica, pues nadie llevó a cabo el más mínimo esfuerzo para mejorar la suerte de los indios y de las demás minorías étnicas, de manera que el sistema productivo continuó basado en su explotación sistemática. Por otro lado, las rebeliones indígenas asustaron a los criollos, que se dieron cuenta de la amenaza que constituían para su privilegiada situación de grupo dominante. Los intereses y los prejuicios raciales comunes hacia indios, mestizos, negros y mulatos, que se intensificaron más que nunca durante el siglo XVIII, servían de factor de cohesión a toda la población blanca independientemente de su origen.

El despertar del indigenismo. Las revoluciones indias

En el siglo XVIII, los indios más culturizados tomaron conciencia de sus orígenes históricos, de su pertenencia a una comunidad superior a su simple pueblo o tribu, así como de la marginación a que estaban sometidos por los blancos. La adopción por algunos jefes rebeldes de nombres de antiguos soberanos incas y aztecas ilustra claramente sobre esta toma de conciencia. Tal fue el caso de José Condorcanqui Noguera, que tomó el nombre de Túpac Amaru, el último inca rebelde.

Túpac Amaru (1740-1781), adinerado cacique que se había educado en la Universidad de San Marcos de Lima, denunció los abusos de la Administración y solicitó de las autoridades virreinales el cumplimiento de las leyes. Se declaró en rebeldía y se hizo fuerte en la región de Cuzco; decretó el fin de la esclavitud y llevó a cabo una intensa labor legislativa, atrayendo a su causa a numerosos partidarios de las diferentes etnias. Túpac Amaru aspiraba a restaurar el antiguo imperio incaico en el marco de una confederación con el rey de España, en cuyo nombre decía actuar. Fracasó en su ataque a

Ejecución del indio Túpac Amaru, grabado de la obra de Poma de Ayala Crónica del buen gobierno.

La rebelión de Túpac Amaru constituyó la manifestación violenta del indigenismo.

la ciudad de Cuzco y, tras ser arrestado, fue ajusticiado en mayo de 1781. La insurrección continuó, sin embargo, hasta 1783 e inspiró a otros movimientos indígenas en la zona andina. La rebelión inca produjo una fuerte impresión en la sociedad indiana. La Corona ya no era el único poder que se oponía a los abusos de los criollos y de los funcionarios corruptos.

La transformación del criollismo en ideología

El movimiento de afirmación criolla se transformó en ideológico cuando a las protestas contra los monopolios, contra el aumento de la presión fiscal y contra el centralismo se unieron las demandas de autonomía político-administrativa. El cambio fue alentado por la extensión a América de la ideología liberal -democracia, parlamentarismo, separación de poderes, etc.-, que reforzó el tradicional concepto español del origen popular del poder. Realmente significativo fue el nombre de comuneros que tomaron algunos de aquellos movimientos, inspirado en el de la rebelión de las Comunidades de Castilla contra el absolutismo real a comienzos del siglo XVI. Hubo también movimientos rebeldes de ideología republicana en Chile (1780) y Venezuela (1797).

Los criollos se sentían discriminados y agraviados por la metrópoli, y aspiraban a sustituir a los españoles en los cargos públicos y eclesiásticos. Sin embargo, los excesos de los revolucionarios europeos aconsejaban no cuestionar la legitimidad de la monarquía, principio y garantía del orden político y del sistema social.

Firma de la Constitución de Los Estados Unidos de América.

La sublevación de las colonias británicas de América hizo temer a la Corona española la extensión de la revolución a las suyas. El rey Carlos III reconoció la soberanía de los Estados Unidos cuando lo hizo Gran Bretaña.

IMÁGENES DE AMÉRICA LATINA

La transformación del criollismo en ideología

A pesar de ello, el éxito de la insurrección de las colonias inglesas de Norteamérica (1776) y de la Revolución Francesa (1789) animó a los más exaltados a pronunciarse abiertamente por la independencia: Francisco de Miranda, intelectual y militar de azarosa vida, aspiraba a crear un gran Estado iberoamericano bajo la soberanía de los descendientes de los incas; el jesuita peruano Juan Mariano Vizcardo clamó por la libertad: *Carta a los españoles americanos*; el argentino Mariano Moreno defendió los derechos humanos y el sufragio universal; Antonio Nariño publicó la *Declaración de los derechos del hombre*.

En España se conocían los problemas de las colonias y los anhelos independentistas de los liberales criollos. Muchos reformistas ilustrados españoles pensaban que Hispanoamérica había alcanzado un nivel de desarrollo socioeconómico incompatible con el sistema colonial. Varios ministros ilustrados, Aranda entre ellos, conscientes del auge del independentismo en Hispanoamérica, elevaron al monarca Carlos III proyectos federalistas, pero sus propuestas no fueron aceptadas.

La Ilustración hispanoamericana. Las expediciones científicas

La cultura iberoamericana experimentó un gran dinamismo con la Ilustración y reforzó sus vínculos con la europea, que ya no era, para los iberoamericanos, exclusivamente ibérica, sino también francesa, inglesa, alemana, etc. No en vano aquel movimiento fue un fenómeno de carácter internacionalista y cosmopolita. Por otro lado, la liberalización del comercio facilitó la importación de libros y, por tanto, la difusión de la cultura y de las ideas.

Los ilustrados creían en el valor de la ciencia, de la razón -sobrepusieron la Razón a la Fe- y de la educación como motores del progreso. Así, al calor de las Luces, en Hispanoamérica se fundaron numerosos centros docentes y científicos (Escuela de Minas y Jardín Botánico de México, universidades de La Habana, Santiago de Chile y Quito, Observatorio de Bogotá, Real Academia de San Carlos de México, etc.), nuevas imprentas y casas de edición. A la difusión de las Luces contribuyeron eficazmente, como en España, las tertulias de intelectuales, asociaciones como los Amantes del País (Perú), la Sociedad de los Guadalupes (México), la Sociedad Económica de Investigaciones (Argentina), la Real Sociedad Económica de La Habana (Cuba) y otras creadas según el modelo español de las Sociedades Económicas de Amigos del País, asociaciones de burgueses ilustrados que promovían los estudios científicos y la formación profesional, analizaban los problemas socioeconómicos, y comentaban las modas intelectuales y la actualidad política. Pensadores ilustrados fueron, por ejemplo, el mexicano Benito Díaz de Gamarra, pedagogo: *Errores del entendimiento humano*; el médico ecuatoriano Eugenio Espejo: *Reflexiones sobre el contagio y transmisión de las viruelas*; el peruano Pablo de Olavide, que, en España, planificó y dirigió la repoblación de zonas de Sierra Morena; y una abundante nómina de científicos y pensadores seguidores del sensualismo, corriente de pensamiento que basaba el conocimiento científico en la experimentación y en el análisis de la realidad. Así, la "nueva ciencia", es decir, la física y las ciencias de la naturaleza en general, comenzó a ocupar un espacio importante en los planes de estudio universitarios. El polígrafo venezolano Andrés Bello (1781-1865) difundió la concepción liberal y

El naturalista andaluz (1732-1808) José Celestino Mutis fue uno de los más claros exponentes del espíritu científico de la época. El resultado de su labor como incansable investigador quedó recogida en una obra monumental.

José Celestino Mutis. Jardín Botánico. Madrid.

IMÁGENES DE AMÉRICA LATINA

La Ilustración hispanoamericana. Las expediciones científicas

sensualista de la enseñanza y de la educación, que, en su opinión, eran los factores fundamentales del desarrollo, del progreso y del orden social. Entre sus obras merecen destacarse *Filosofía del entendimiento* y *Gramática de la Lengua Castellana*.

La metrópoli organizó y financió numerosas expediciones científicas: Félix de Azara estudió la historia natural del Paraguay, José Celestino Mutis inventarió la flora de Nueva Granada, Martín Sessé estudió y clasificó la flora mexicana; Alejandro Malaspina recorrió el Pacífico hasta Alaska, las Filipinas y las costas de China, y regresó con abundante material y un inmenso caudal de datos científicos; Juan de Cuéllar recorrió las Filipinas entre 1785 y 1789 recogiendo materiales para el Real Gabinete de Historia Natural. También se prestó apoyo a la expedición de la Academia de Ciencias de París, de la que formaron parte los españoles Antonio de Ulloa y Jorge Juan, y a la del científico alemán Alejandro Humboldt.

Vista de los alrededores de Lima, Johann Moritz Rugendas.

Las expediciones científicas permitieron a los exploradores europeos, no necesariamente españoles, conocer y admirar la belleza del continente americano.

"El estudio de las ciencias naturales ha hecho grandes progresos no sólo en México sino en todas las colonias españolas. Ningún Gobierno europeo ha sacrificado sumas más considerables que el español para fomentar el conocimiento de los vegetales".

Alejandro Humboldt

Los ilustrados concebían la literatura como un instrumento de adoctrinamiento y culturización popular, por lo que la prosa didáctica y ensayística se impuso a la literatura de ficción, sobre todo a la novela, lo que se tradujo en un extraordinario desarrollo de las publicaciones periódicas de carácter divulgativo y científico: *Diario Erudito, Económico y Comercial* y *Mercurio Peruano*, de Lima; *La Aurora de Chile, La Gaceta de Buenos Aires, Mercurio de México, El Pensador Mexicano, Semanario del Nuevo Reino de Granada, Papel Periódico*, de La Habana, *Gaceta de Guatemala*, etc. En el ámbito de la literatura de ficción hay que destacar al novelista hispanomexicano José Joaquín Fernández de Lizardi (1776-1827), cultivador del género picaresco: *El Periquillo Sarniento*.

El arte en la época de la Ilustración

A causa de la prolongada vigencia del barroco, el neoclasicismo, estilo artístico de la Ilustración, no se generalizó en Iberoamérica hasta el último tercio del siglo XVIII. Los artistas neoclásicos, como los renacentistas, recuperaron el ideal clásico de las proporciones y del equilibrio. Ello significó, en la arquitectura, el fin de la exuberancia decorativa y el predominio de las líneas rectas sobre las curvas.

A la vez que los estilos barroco y neoclásico daban carácter a las grandes urbes hispanoamericanas, en las misiones de California, Nuevo México, Arizona y Texas, se levantaban modestas iglesias rurales de una sola nave y sólidos muros reforzados con contrafuertes.

IMÁGENES DE AMÉRICA LATINA

El arte en la época de la Ilustración

"Todas las misiones están construidas en adobe, una mezcla de barro y paja en forma de ladrillos unidos con cemento elaborado con conchas marinas con una estructura que rememora los estilos españoles. Dados los materiales y circunstancias, sin embargo, surge una arquitectura que, aunque reflejo de otras, es en sí misma exclusiva".

En *Presencia española en América. Misiones californianas*,
de Nancy Black, *Tribuna*. n.º 622. 27 de marzo de 2000.

El Brasil en los siglos barroco e ilustrado

El Brasil fue elevado a la categoría de virreinato (1640) con capital en la ciudad de Bahía. En el ámbito administrativo, en 1604 se creó el Conselho da India, órgano metropolitano de administración de la colonia que en 1642 fue sustituido por el Conselho Ultramarino. En el siglo XVII se ocuparon extensos territorios indios, donde se constituyeron grandes propiedades agrícolas y ganaderas, las fazendas.

Los gobiernos del Despotismo Ilustrado codificaron la legislación, trasladaron la capital del virreinato de Bahía a Río de Janeiro (1763), reorganizaron el ejército y crearon monopolios comerciales. Como en Hispanoamérica, el Patronato Real era un formidable instrumento de control de la Iglesia por el Estado. La expulsión de los jesuitas constituyó un duro golpe para la Iglesia colonial. El aumento de la fiscalidad, la corrupción administrativa, la oposición a las reformas y el incremento del centralismo reforzaron los sentimientos autonomistas de los criollos. Los portugueses habían fundado (1680) la colonia de Sacramento en la región de Río de la Plata, que tuvieron que ceder a España por el Tratado de San Ildefonso (1777).

Recuperación de la Bahía de Brasil, *Juan Bautista Mayno.*
Museo del Prado. Madrid.

El descubrimiento de minas de oro en Minas Gerais (1695) y de yacimientos de diamantes posteriormente dio un fuerte impulso a la economía. Según el historiador francés Chaunu, el valor de las importaciones de oro brasileño por los portugueses durante el siglo XVIII fue equivalente al importado por los españoles de sus territorios entre 1550 y 1650. El oro brasileño provocó en Portugal un alza de precios que perjudicó a la economía y retrasó la industrialización del país.

En el ámbito de la cultura en el siglo barroco, el jesuita Antonio Vieira, poeta y predicador, luchó por la causa de los indios y contra su esclavitud. En Brasil arraigó un barroco arquitectónico italianizante. El urbanismo no se extendió en la colonia hasta el siglo XVIII. La inexistencia hasta fechas tardías de Universidad y de imprenta retrasó el desarrollo cultural del Brasil hasta el siglo XVIII. Las sociedades literarias -Acadêmia dos Felizes, Arcadia Mineira, etc.- canalizaron la difusión del espíritu de las Luces entre los literatos; Nuno Marquês Pereira escribió la primera novela brasileña: *Compêndio narrativo do peregrino da América*; Basilio da Gama exaltó las razas aborígenes y el paisaje brasileño.

IMÁGENES DE AMÉRICA LATINA

77

Imágenes de América Latina

La Independencia de Iberoamérica

Retrato de Simón Bolívar en Lima, 1825, José Gil de Castro. Salón Elíptico del Congreso Nacional, Ministerio de Relaciones Interiores. Venezuela.

Simón Bolívar, llamado El Libertador, fue el gran ideólogo de la independencia de Hispanoamérica.

En el desencadenamiento de la rebelión de Hispanoamérica influyeron la ideología revolucionaria francesa, la tradición hispana del origen popular del poder y el ejemplo de la rebelión de las colonias inglesas de Norteamérica y de la colonia francesa de Haití. El movimiento revolucionario apenas tuvo eco en las islas de Cuba, Puerto Rico y Santo Domingo, que alcanzarían la independencia posteriormente.

La independencia de Hispanoamérica

La invasión de España por el ejército de Napoleón marcó el comienzo de la revolución de Hispanoamérica. Napoleón atrajo a la familia real española a Francia e impuso como rey de España a su hermano José. El pueblo español rechazó *rejected* al nuevo rey y se levantó en armas contra el ejército invasor, dando así comienzo la Guerra de la Independencia (1808-1814). El pueblo, espontáneamente y en nombre del monarca legítimo, Fernando VII, organizó Juntas Provinciales, en España y en Hispanoamérica, que se integraron en la Suprema Central Gubernativa del Reino. Los criollos y los españoles rivalizaron por la dirección de las Juntas hispanoamericanas. Finalmente, aquellos se alzaron con el poder y depusieron a las autoridades coloniales. Las Juntas se proclamaron independientes y depositarias de la legitimidad encarnada por el rey Fernando VII: Quito (1809), Buenos Aires (1810), Caracas, Bogotá y Santiago de Chile (1811), México (1813). Así el movimiento independentista fue, en origen, un enfrentamiento entre los españoles peninsulares y los de Hispanoamérica o criollos.

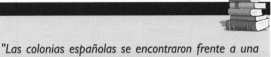

"*Las colonias españolas se encontraron frente a una situación sin precedentes: no tenían gobierno legítimo, porque su rey había abdicado y no querían reconocerle derechos al usurpador. La tendencia inicial consiste en desconocer la autoridad de Napoleón y proclamar fidelidad al depuesto monarca español. El órgano de esta tendencia es, en muchas ciudades, el ayuntamiento o cabildo municipal, única autoridad cuyo origen podría decirse que emanaba del pueblo, siquiera en parte, sobre todo cuando asumía la forma de "cabildo abierto", con participación de ciudadanos que no ejercían función oficial: así se combinaban la doctrina de la soberanía popular, muy en boga entonces entre los hombres ilustrados, y la antigua práctica española*".

En *Historia de la cultura en la América hispánica*, de Pedro Henríquez Ureña. Fondo de Cultura Económica. México-Buenos Aires. 1955.

Las Cortes de Cádiz, única ciudad española que no había sido tomada por el ejército francés, promulgaron la Constitución de 1812, la primera de las españolas, que proclamó la soberanía nacional, abolió los fundamentos del Antiguo Régimen y reconoció los derechos ciudadanos a todos los miembros de la "Nación Española", formada por los españoles de ambos hemisferios, es decir, de España, Hispanoamérica y los territorios de Oriente bajo soberanía española. Este reconocimiento no llegó a tiempo de detener la rebelión de las colonias.

La rebelión mexicana tuvo al principio carácter de revolución social. Comenzó (1810) con el famoso "grito de Dolores": ¡Viva Fernando VII y mueran los gachupines!, pronunciado por el cura Miguel Hidalgo. El líder independentista abolió la esclavitud, logrando así atraerse *attract* el apoyo de un considerable número de indios y mestizos, por lo que México fue el único país donde estos tuvieron una participación activa en el proceso emancipador. La evocación de la popular Virgen de Guadalupe le procuró a Hidalgo el apoyo de extensos sectores católicos. Su sucesor, el cura José María Morelos y Pavón, dio al movimiento un carácter antimonárquico.

Manuel Hidalgo, © *José Clemente Orozco, 1937. VEGAP, Madrid. 2001. Palacio de Gobierno, Guadalajara, Jalisco.*

Los grandes muralistas mexicanos como José Clemente Orozco dieron su propia interpretación de la historia de su país. Orozco representa al cura que lucha contra la opresión del pueblo, pero que al mismo tiempo contribuye trágicamente a ella.

La independencia de Hispanoamérica

La Asamblea Nacional de Venezuela declaró (1811) la independencia del país, proclamó la República y entregó el mando del ejército a Francisco Miranda, a cuya muerte le sucedió Simón Bolívar (1783-1830), criollo venezolano que desempeñó un papel de primer orden en la independencia del continente. Su decreto de "guerra a muerte" a los españoles (1813) labró un profundo surco entre estos y los criollos. Fue proclamado Libertador por el Cabildo de Caracas.

Francisco de Miranda (1750-1816) fue el auténtico precursor de los movimientos de independencia hispanoamericanos. Su nombre aparece escrito en el Arco del Triunfo de París en reconocimiento a su labor como político e ideólogo de la independencia.

Mapa con las campañas de la Independencia de las antiguas colonias españolas en América.

La metrópoli, en guerra contra los invasores franceses, apenas pudo reaccionar contra la rebelión. Sin embargo, a su regreso de Francia, el rey Fernando VII abolió la Constitución, envió 10.000 soldados contra los insurgentes de Nueva Granada y logró restablecer el orden. El guerrillero mexicano Morelos fue ejecutado y Bolívar tuvo que exiliarse a Jamaica. La situación cambió de signo con el regreso de Bolívar, que liberó Venezuela, venció a los realistas en Boyacá (1819) y erigió la Gran Colombia.

El comandante Rafael de Riego dirigió un golpe militar en España (1 de enero de 1820) que impidió el envío de refuerzos militares a América y obligó a Fernando VII a restablecer la Constitución, lo que produjo una profunda consternación entre los conserva-

Batalla de Ayacucho, Anónimo. Museo de Bogotá. Colombia.

Tras la Batalla de Ayacucho en 1824, el dominio español en América quedó reducido a las islas de Puerto Rico, Cuba y Santo Domingo.

IMÁGENES DE AMÉRICA LATINA

80

La independencia de Hispanoamérica

dores americanos, que se unieron entonces a los liberales independentistas. En México, el coronel Agustín de Iturbide (1783-1824) aspiraba a nombrar rey del país a Fernando VII, pero ante la imposibilidad de conseguir su objetivo se autoproclamó emperador con el nombre de Agustín I. El ejército terminó con su régimen y México se declaró independiente en septiembre de 1821. El resto del continente fue liberado por generales rebeldes, entre ellos San Martín y Sucre, y los últimos focos de resistencia realista fueron vencidos en Ayacucho (1824) y en Tumusla (1825). El Gobierno español reconoció la independencia de sus ex-colonias en 1836. La independencia de Hispanoamérica fue un logro de los criollos, que no tuvieron en cuenta los intereses de las minorías étnicas.

Los criollos cubanos, puertorriqueños y dominicanos se mantuvieron al margen del movimiento independentista, pero procuraron conseguir más ventajas comerciales y la ampliación de sus derechos. Así, a partir de 1825, sólo quedaron bajo soberanía española las islas de Cuba, Puerto Rico y Santo Domingo. También conservó España las islas Filipinas, en el Extremo Oriente, y gran número de islas en la Micronesia. Estas posesiones se perderían en 1865, en el caso de Santo Domingo, y en 1898 en el de todas las demás.

La independencia de Brasil

Como los hispanoamericanos, los criollos brasileños denunciaron los abusos del poder y el aumento de los impuestos, y organizaron conjuras y rebeliones como la republicana de Minas Gerais de 1788. En 1792 fue ejecutado el líder independentista José Joaquín da Silva. La invasión de Portugal por Napoleón aceleró los acontecimientos.

España y Portugal se aliaron para combatir juntos contra los revolucionarios franceses. Su derrota movió a los españoles a firmar la paz con Francia (1795), y los portugueses pactaron con Inglaterra su neutralidad en el conflicto que la enfrentaba a Francia, lo que les costó una guerra con España, la de las Naranjas (1801), la pérdida de la Guayana a favor de Francia y la invasión de su territorio por las tropas francesas, que se proponían obligarles a participar en el bloqueo contra Inglaterra.

Pedro I (1798-1834), heredero de la corona de Portugal, proclamó la independencia de Brasil en 1822.

"Desapareció el tradicional aislamiento intelectual y cultural con la instalación de la primera imprenta en Río (mayo 1808), pronto seguida de otras en San Salvador y en Recife. Desde entonces se publicaron periódicos y libros, se crearon academias científicas y literarias, se abrieron bibliotecas públicas, teatros y centros de enseñanza... Sin embargo, las innovaciones de mayor alcance histórico serían las implantadas en la vida económica. Apenas transcurrida una semana de pisar tierra brasileña, el príncipe regente, por medio de su "carta régia" de fecha 28 de enero de 1808, abrió los puertos del Brasil al comercio directo con todos los países amigos y neutrales".

En *La independencia de Iberoamérica. La lucha por la libertad de los pueblos,* de Guillermo Céspedes. Madrid. Anaya. 1988.

IMÁGENES DE AMÉRICA LATINA

La Independencia de Brasil

Como consecuencia de la invasión francesa, la reina María, acompañada por un numeroso séquito de unas 15.000 personas, se trasladó al Brasil, lo que tuvo efectos muy beneficiosos para la colonia: las artes y las letras conocieron una época de esplendor, la economía se abrió al mercado internacional y la industria se desarrolló. Brasil dejó de ser un monopolio portugués, pero prácticamente pasó a depender de los ingleses, que consiguieron una sustancial rebaja arancelaria para sus productos industriales y autorización para instalarse en el país. En 1815 le fue reconocido a Brasil el estatuto de reino, erigiéndose así en un país independiente de hecho. Juan VI (1816-1826) ocupó el trono a la muerte de su madre, la reina María, y continuó viviendo en Brasil tras la expulsión de los franceses de Portugal.

El rey Juan VI regresó a Portugal en 1821 y nombró a su hijo Pedro regente del Brasil. Las Cortes suprimieron los privilegios concedidos a la colonia convertida en reino y exigieron el regreso del heredero a Portugal, pero este respondió con un contundente "fico" ("me quedo") en enero de 1822, y se puso al frente de los independentistas. En septiembre de aquel mismo año de 1822 pronunció el famoso grito de Ipiringa: "¡Independencia o muerte! ¡Estamos separados de Portugal!". En octubre fue aclamado en Río de Janeiro Imperador e Defensor Perpétuo do Brasil. El Brasil se organizó como una monarquía constitucional y Portugal tuvo que reconocer su independencia en 1825. Pedro I promulgó la Constitución de 1823, que le confirió el poder moderador y la supremacía sobre todos los demás. Como la de Hispanoamérica, la independencia del Brasil fue una conquista de los criollos, no de los indios ni de los mestizos ni mulatos.

El fracaso del ideal bolivariano

Simón Bolívar fue un intelectual y un hombre de acción al servicio de la libertad de Hispanoamérica y de su organización en una confederación de repúblicas y de pueblos sobre la base de su comunidad de origen, lingüística y religiosa. Consciente de que la disolución del orden español podría hundir a las excolonias en la anarquía y ante la falta de acuerdo sobre el sistema político a adoptar en sustitución de la monarquía, intentó encontrar una fórmula de carácter liberal-conservador que proporcionara a los ciudadanos el mayor nivel de bienestar, de libertad y de justicia. Postulaba un ejecutivo fuerte, dotado de amplios poderes, ya que, afirmaba, la

Pasando por la sabana en dirección a Bogotá. El ejército Libertador después del triunfo, Francisco de Paula Álvarez. Museo Nacional. Colombia.

Representación de una de las últimas victorias del ejército de Bolívar frente a las tropas españolas.

El fracaso del ideal bolivariano

> *"Es una idea grandiosa pretender formar de todo el mundo nuevo una sola nación con un solo vínculo que ligue sus partes entre sí y con el todo. Ya que tiene un origen, una lengua, unas costumbres y una religión, debería, por consiguiente, tener un solo gobierno que confederase los diferentes estados que hayan de formarse; mas no es posible, porque climas remotos, situaciones diversas, intereses opuestos, caracteres semejantes, dividen a la América".*
>
> En *Carta de Jamaica*, de Simón Bolívar.

libertad absoluta conduce al poder absoluto. Propuso un sistema en el que una Cámara Alta o Senado de miembros hereditarios pudiera frenar los posibles excesos de los diputados de elección popular. La realidad surgida tras la independencia puso de manifiesto la imposibilidad de poner en práctica su programa. Así, el Congreso de Panamá (1826), reunido a instancias suyas para crear un ejército común y formar una alianza contra la intervención extranjera, resultó un fracaso. Bolívar se convirtió en dictador cuando un grupo de golpistas le entregó los destinos de Colombia en 1828. El ideal bolivariano recibió así un duro golpe, que se consumó con la división política de Iberoamérica. Bolívar murió en 1830 con el sentimiento de "haber arado en el mar". Su muerte, sin embargo, no significó la de sus ideales, que serán evocados posteriormente, incluso en nuestros días, como solución a los problemas de Iberoamérica.

Tras la independencia

América se incorporó muy tempranamente a la Corona de España, cuando los valores medievales aún regían en Europa y era lícito someter a los infieles a esclavitud. De la misma manera, Hispanoamérica también se independizó tempranamente, cuando la revolución liberal-burguesa todavía no había triunfado plenamente en Europa, ni había surgido el movimiento obrero, ni se había generalizado la revolución científico-técnica. Por estas razones, la independencia no significó la sustitución del Antiguo Régimen por la modernidad. Es más, Latinoamérica continúa aún en nuestros días luchando por su modernización y adecuación al ritmo histórico de los pueblos desarrollados.

Las oligarquías criollas tomaron el poder y crearon los nuevos estados. Los indios quedaron divididos por fronteras artificiales, trazadas sin tener en cuenta sus etnias, lenguas, culturas, hábitats y territorios. La Iglesia conservó su prestigio y relevancia. La sociedad criolla se dividió, ideológicamente, en liberales federalistas y conservadores centralistas. Por otro lado, independencia no significó democracia, ya que, bajo la forma de repúblicas, las autocracias y los totalitarismos se impusieron en toda Iberoamérica. Las guerras causaron una gran mortandad y la regresión de la economía, y dieron gran relevancia a los militares.

Iberoamérica fue invadida por el capital extranjero, que la convirtió en un vasto campo productor de materias primas cuyos precios fijaba en los mercados internacionales, y apoyaba a los autócratas y dictadores que garantizaban la seguridad de sus inversiones. Estas circunstancias y el crecimiento continuo de la deuda externa de los nuevos estados incrementaron su dependencia colonial del exterior. Así, al colonialismo español y portugués le sucedió el del capital extranjero. Con la independencia, Iberoamérica simplemente cambió de dueño.

El sistema económico liberal-capitalista perjudicó a la población indígena y mestiza, que fue sometida a nuevas formas de servidumbre y de explotación. La población blanca consolidó su situación de grupo dominante, y aumentaron el racismo y el clasismo. Las crisis económicas desestabilizaron a los nuevos estados, el bandolerismo y la inseguridad se extendieron por todo el subcontinente, y se produjeron numerosas revueltas populares contra el nuevo orden socioeconómico.

El nacimiento de los Estados–Naciones iberoamericanos

*La Paraguaya: Imagen de tu Patria desolada, Juan Manuel Blanes.
Museo Nacional de Artes Plásticas. Montevideo.*

*Representación de un
Paraguay arrasado tras la
guerra de la Triple Alianza.*

Los pueblos iberoamericanos se organizaron en estados independientes durante el siglo XIX y a partir de los mismos forjaron sus respectivas identidades nacionales. La oligarquía continuó dividida en liberales y conservadores, pero ambas fuerzas concebían el Estado como un instrumento al servicio de sus intereses, y ambas creían que Iberoamérica era ingobernable, de ahí su nula confianza en la democracia como factor del cambio político, que en la mayoría de los casos se produciría por la acción violenta de caudillos y militares cuyo carisma personal prevalecía sobre sus idearios políticos.

Iberoamérica se abrió a las inversiones y a la tecnología extranjeras, a la inmigración de los ~~surpluses~~ excedentes de población europeos, a los modelos culturales y a las modas de Europa, continente que era contemplado con verdadera admiración, como ejemplo de progreso y modernidad digno de imitación. Mientras, el capital y los panamericanistas estadounidenses se preparaban para extender su influencia sobre sus vecinos del Sur. En 1823 pronunció el presidente norteamericano Monroe su famosa frase de "América para los americanos", origen del panamericanismo.

Perversión de la democracia. Militarismo y caudillismo *leadership*

Las frecuentes guerras de la centuria dieron gran relevancia a los militares, que a partir de entonces se consideraron salvadores y depositarios de las esencias patrias y, sin tener en cuenta la opinión de la mayoría, participaron activamente en la política, sobre todo por medio de rebeliones y pronunciamientos. Las guerras favorecieron también la aparición de caudillos carismáticos que accedían al poder mediante *by means of* golpes de fuerza, y en él se mantenían por medio de la eliminación de los oposi-

Revista del Río Negro por el general Roca y su ejército, *Juan Manuel Blanes. Museo Municipal Juan Manuel Blanes. Montevideo.*

tores y del clientelismo. Practicaban una política demagógica y populista y hacían caso omiso del parlamentarismo y de los principios democráticos. Fueron frecuentemente instrumento del capital extranjero, que se servía de ellos para poner en práctica la política más conveniente para sus intereses. El militarismo y el caudillismo han sido desde entonces una constante en la historia de los países latinoamericanos.

Una vez instalados en el poder, los caudillos se convertían en temibles autócratas que sólo excepcionalmente obraban *acted* en beneficio del bien común, del desarrollo socioeconómico y de la modernización de sus países. Por ello, aunque la totalidad de los nuevos estados se constituyeron en repúblicas, los principios democráticos fueron sistemáticamente ignorados. Las constituciones eran más fruto *profit* de la imposición de unos grupos sobre otros que del consenso. Además, la frecuente sustitución de unas por otras y el incumplimiento sistemático de sus mandatos las convirtieron en simples declaraciones de intenciones sin efectos prácticos. El reconocimiento progresivo del derecho de sufragio no tuvo más consecuencia que legitimar el ascenso al poder de los oligarcas que obtenían los votos con presiones y corruptelas.

Fenómeno asociado al caudillismo fue el bandolerismo, originado por las injusticias sociales del nuevo orden liberal-capitalista. La disidencia social tomó en Brasil un carácter místico-religioso: líderes mesiánicos y utópicos movilizaron a grandes masas de marginados, sobre todo en la zona esteparia del Noreste, que resistían con éxito temporal los ataques del ejército regular.

Sustitución de la economía colonial por la capitalista

El liberalismo económico transformó la economía colonial de Iberoamérica en capitalista. El cambio benefició a los inversores extranjeros y a las oligarquías locales, pero empeoró las condiciones de vida de los trabajadores. La economía se basó fundamentalmente en la explotación de la mano de obra, en la producción y exportación de materias primas, en la financiación y en las inversiones extranjeras. La satisfacción de la demanda extranjera exigió la roturación y colonización de nuevas tierras y la extensión de los monocultivos. Estos factores, añadidos a la deuda externa, se tradujeron en indefensión de las economías latinoamericanas ante los intereses extranjeros y en su extrema vulnerabilidad ante las oscilaciones del mercado.

Fenómeno de enorme trascendencia fue el crecimiento continuo de la deuda con la banca extranjera, que cobraba *collected* intereses de hasta el 50%. La imposibilidad de pagarlos y de devolver los préstamos en las fechas convenidas obligaba a solicitar otros nuevos, creándose así un círculo vicioso de nefastas consecuencias. El endeudamiento de Latinoamérica, que ha constituido un freno *brake* para su desarrollo y modernización desde su independencia, dio un inmenso poder al capital extranjero, al inglés sobre todo. Inglaterra logró imponerse a sus rivales europeos como potencia dominante: exportó a Latinoamérica capitales y técnicos y financió el desarrollo de su infraestructura, sobre todo de los ferrocarriles.

Sustitución de la economía colonial por la capitalista

> *"El primer gobierno latinoamericano en firmar un contrato para un empréstito extranjero fue el de Colombia en 1822. Pronto fue seguido por los de Chile y Perú, y para 1825 la mayoría de los flamantes Estados habían acumulado cuantiosas deudas externas. Los bonos de Argentina, Brasil, la Federación Centroamericana, Chile, Gran Colombia, México y Perú eran vendidos y comprados a precios elevados en la Bolsa de Londres y el furor por esos valores exóticos pero lucrativos siguió imperando hasta la catástrofe financiera de diciembre de 1825".*
>
> En *Historia de la deuda externa de América Latina*, de Carlos Marichal. Madrid. Alianza Editorial. 1988.

El liberalismo económico aumentó las diferencias entre ricos y pobres y fomentó la extensión de nuevas formas de trabajo obligatorio. El retraso en el nacimiento de la industria dificultó la formación de una clase obrera socialmente concienciada y reivindicativa, de manera que el movimiento obrero no se manifestó realmente activo hasta la llegada de los inmigrantes europeos, y hasta la primera década del siglo XX no se constituyó en una fuerza social importante. Por otro lado, la inexistencia de una clase media numerosa obstaculizaba el cambio social y político.

Para lograr el progreso económico era necesario desarrollar la infraestructura y el equipamiento: las líneas férreas -las primeras fueron las chilenas- acercaron las materias primas a los puertos marítimos, y la na-

Trabajos en el ferrocarril en Chiguaucán, José Grijalva. Museo de Arte Moderno. Quito.

Los trabajos derivados de la colonización del territorio inspiraron frecuentemente a los artistas de la época.

vegación a vapor permitió aumentar el volumen de los intercambios comerciales con el exterior y vincular a la actividad económica, a través de los ríos, a zonas hasta entonces inexplotadas.

El comercio de esclavos negros se prohibió oficialmente en Hispanoamérica en 1820 y en 1830 en Brasil. A lo largo del siglo se abolió la esclavitud en el resto. En Cuba y Brasil se mantuvo hasta 1880 y 1888 respectivamente.

El virreinato del Río de la PLata se divide en tres estados

Plaza del Obelisco de Buenos Aires.

Tras la independencia, el virreinato del Río de la Plata tomó el nombre de Provincias Unidas del Río de la Plata. Las tendencias autonomistas de las provincias que lo formaban y la ocupación por los lusobrasileños de la entonces denominada Banda Oriental, el actual Uruguay, fueron la causa de la división del virreinato en los estados soberanos de Argentina, Uruguay y Paraguay.

En este lugar se izó por primera vez en la ciudad la bandera argentina, en agosto de 1812.

El virreinato del Río de la Plata se divide en tres estados

En 1826 los argentinos promulgaron una Constitución centralista y fijaron la capitalidad en Buenos Aires. En 1829 apareció en la escena política el dictador Juan Manuel de Rosas, que convirtió el país en una gran potencia ganadera. En 1859 dio comienzo una guerra civil entre los aspirantes a la presidencia que se saldó con el triunfo de Bartolomé Mitre (1862). Sus sucesores continuaron su política reformista y Argentina se erigió en uno de los estados más dinámicos del subcontinente.

El Estado uruguayo nació tras la firma de la paz entre Argentina y Brasil (1828), en guerra desde 1821. Sus

La misantropía de Rodríguez Francia, y su condición de Supremo Dictador, crearon una leyenda en torno a su persona.

primeros años de existencia estuvieron marcados por una dilatada guerra civil que terminó en 1851, cuando las fuerzas en conflicto -liberales (blancos) y conservadores (colorados)- pactaron su alternancia en el poder, sistema que se ha mantenido hasta nuestros días.

Paraguay consiguió la independencia frente a las pretensiones unionistas de la Junta de Buenos Aires. José Gaspar Rodríguez Francia, *El Supremo*, -transformado por Roa Bastos en mito literario en su espléndida novela *Yo, el Supremo*- creó la república del Paraguay en 1814 e impuso un régimen totalitario y autárquico que mantuvo aislado el país hasta su muerte en 1840. En 1844 se instituyó un régimen presidencial impulsor del desarrollo y de la enseñanza. Uruguay, Brasil y Argentina se coaligaron en la Triple Alianza contra la política autárquica de los paraguayos, que perdieron en la guerra (1864-1870) más de la mitad de la población y 181.415 km^2 de territorio. La historia del país hasta finales de siglo fue una permanente lucha por el poder entre militares conservadores y liberales.

La división política del territorio andino

Bernardo O' Higgins dirigió los destinos del Estado chileno entre 1818 y 1823. En 1826 se instituyó un régimen presidencialista y federalista, y en 1830 se impuso la dictadura. La Constitución conservadora de 1833 proporcionó paz y estabilidad durante décadas. A ello contribuyó también el auge económico, basado en la exportación de cobre y nitrato. Los chilenos resultaron victoriosos (Yungay, 1839) en la guerra contra la recién creada Confederación peruano-boliviana (1836), que ponía en peligro el equilibrio de fuerzas en la zona. La presidencia de Juan Balmaceda (1886-1891) fue una etapa de afianzamiento de la democracia, de mejora de la infraestructura y de extensión de la enseñanza. Un golpe de Estado en 1891 dio origen a una sangrienta guerra civil que terminó con el triunfo de los conservadores.

La oposición obligó al general bolivariano Antonio José de Sucre, primer presidente de Bolivia, a abandonar el país en 1828. Este hecho marcó el comienzo de la historia de Bolivia bajo el signo de la inestabilidad. El general Andrés de Santa Cruz, su sucesor, logró reconstituir parte del antiguo virreinato del Perú con la creación en 1837 de la Confederación peruano-boliviana. Sin embargo, la rivalidad por el aprovechamiento de los recursos naturales de las zonas fronterizas desencadenó enfrentamientos con Argentina y Chile, que culminaron con la derrota de Santa Cruz en Yungay (1839), lo que puso término a la Confederación y dio comienzo a una etapa de desórdenes. En 1857 accedió al poder un civil, José María Linares, político reformista que sometió a los militares y preparó un

Antonio José de Sucre *fue el primer presidente de la república de Bolivia.*

La división política del territorio andino

La batalla de Ingavi tuvo lugar cerca de Viacha (Bolivia) entre los ejércitos peruano y boliviano. La derrota del Perú aseguró la independencia de Bolivia.

vasto programa de modernización. Sin embargo, las dificultades para ponerlo en práctica le obligaron a asumir dictatorialmente todos los poderes. Una conjura le expulsó del poder (1864), dando así comienzo una nueva etapa de anarquía y revoluciones. En 1879 dio comienzo la Guerra del Pacífico, que terminó con la Paz de Zancón (1883): Bolivia tuvo que ceder a Chile sus territorios costeros, ricos en nitrato, quedando, además, desconectada del mar. La inestabilidad política continuó durante las dos últimas décadas del siglo, que terminó con el triunfo de una rebelión liberal (1899) y el traslado de la capital de Sucre a La Paz.

El Perú, independiente desde 1821, fue ejemplo de inestabilidad y de sustituciones de unos caudillos por otros que, una vez en el poder, incurrían en los mismos vicios y abusos contra los que se habían rebelado. Durante el período de formación del Estado peruano merece destacarse la labor social de Ramón Castilla, presidente de 1845 a 1851 y de 1855 a 1862, y la de Manuel Prado, artífice de un programa (1872) de desarrollo de la enseñanza y de colonización. El Perú terminó el siglo bajo el signo de la dictadura.

Disolución de la Gran Colombia bolivariana

La Gran Colombia fue creada por el Congreso de Angostura (1819) como núcleo de la gran entidad política hispanoamericana a la que aspiraba Simón Bolívar. La formaron, en origen, los territorios de los futuros estados de Colombia, Venezuela, Ecuador y Panamá. Tuvo muy corta existencia.

Venezuela se separó de la Gran Colombia en 1830. Personaje clave del período de formación del Estado venezolano fue el enérgico general bolivariano José Antonio Páez, primer presidente y presidente en ocasiones posteriores que ejerció una constante influencia en la política nacional hasta mediados de siglo. En 1864 se promulgó una Constitución federal. En 1868 triunfó la rebelión conservadora denominada Revolución Azul. Entre 1870 y 1887 se llevaron a cabo importantes reformas económicas. La última década del siglo estuvo presidida por las disputas entre los militares por hacerse con el poder.

Quito también se separó de la Gran Colombia en 1830. En 1835 adoptó el nombre de República del Ecuador (1835). En la presidencia se sucedieron una serie de dictadores, entre ellos el ultracatólico Gabriel García Moreno, que consagró el país al Sagrado

Corazón de Jesús y prohibió la libertad religiosa. Su fanatismo provocó una intensa oposición entre los intelectuales y los estudiantes, que lo asesinaron en 1875. Las dictaduras continuaron hasta la toma del poder por los liberales a finales de siglo.

El presidente Gabriel García Moreno fue el más destacado representante del ultracatolicismo latinoamericano del siglo XX.

Disolución de la Gran Colombia bolivariana

Tras la separación de Venezuela y Ecuador, la Gran Colombia quedó reducida a la entidad política federal de Nueva Granada, formada por ocho estados. La Constitución de 1863 ratificó la organización federal del Estado, que tomó el nombre de Estados Unidos de Colombia. Poco más tarde, los conservadores sustituyeron el federalismo por el centralismo y el anterior nombre del Estado por el de República de Colombia. A finales de siglo, la oposición entre liberales y conservadores originó una devastadora guerra civil, la Guerra de los Mil Días (1899-1902), que causó numerosas víctimas.

La agitada formación del Estado mexicano

La rebelión del brigadier Antonio López de Santa Anna acabó con el régimen del autoproclamado emperador Agustín de Iturbide, que fue fusilado en 1824. A partir de ese momento, México se transformó en una República federal. Santa Anna fracasó en su intento de reprimir la sublevación de los inmigrantes norteamericanos en Texas, territorio que fue anexionado por los Estados Unidos de América en 1845, desencadenándose así una guerra entre ambos países que terminó con la derrota de los mexicanos. Por el Tratado de Guadalupe-Hidalgo (1848), México tuvo que ceder a los Estados Unidos los extensos territorios de Nuevo México, Arizona, Alta California, Nevada y Colorado (2,4 millones de km^2 en total) lo que dejó un amargo recuerdo en la memoria histórica del pueblo mexicano.

Los liberales reformistas de Benito Juárez tomaron el poder en 1855. Juárez llevó a cabo una intensa labor legislativa de carácter laico. La Ley Lerdo (1856) desamortizó los bienes de la Iglesia y de las comunidades indias. La Constitución de 1857 instituyó un nuevo orden liberal y laico, contra el que se levantaron los conservadores. En 1858 hubo que abolir la legislación antieclesiástica. En 1861 se produjo la intervención armada de España, Inglaterra y Francia, a causa de la suspensión de pagos decretada por el Gobierno mexicano. Los franceses ocuparon la capital en 1862 e impusieron la monarquía de Maximiliano de Habsburgo, hermano del emperador Francisco José de Austria. Los guerrilleros republicanos, los "chinacos", dirigidos por Benito Juárez y Porfirio Díaz, apresaron y fusilaron a Maximiliano en Querétaro (1867), y Juárez fue nuevamente elevado a la presidencia de la República. A su muerte, en 1872, le sucedió en la presidencia Sebastián Lerdo de Tejada, que restableció la legislación antieclesiástica. Fue destituido en 1876 por el golpe de Estado del general Porfirio Díaz.

La desintegración política de la Confederación Centroamericana

Iturbide sometió Centroamérica a la soberanía de México, excepto Panamá, que con el nombre de Departamento del Istmo formaba parte de Colombia. Tras el derrocamiento del líder mexicano, los centroamericanos fundaron (1823) una confederación republicana con el nombre de Provincias Unidas de

Francisco de Morazán ocupó la presidencia de la Federación Centroamericana de 1830 a 1840.

Centroamérica, con capital en la ciudad de Guatemala. El hondureño Francisco Morazán se erigió en dirigente de la Unión y promulgó la Constitución liberal de 1824. La oposición conservadora promovió una rebelión, destituyó a Morazán y disolvió la confederación (1838). Surgieron entonces las nuevas repúblicas de Guatemala, Costa Rica, Honduras, Nicaragua y El Salvador.

Guatemala estuvo sometida a regímenes dictatoriales durante la práctica totalidad del siglo. La historia política de Honduras giró en torno al ideal de restauración de la Confederación Centroamericana, origen de guerras y de efímeras uniones con los vecinos. La historia de El Salvador y Nicaragua fue la de un permanente enfrentamiento entre liberales y conservadores. En 1848 se instituyó la República de Costa Rica, que logró mayor estabilidad política y desarrollo económico que sus vecinos.

IMÁGENES DE AMÉRICA LATINA

Fin del Imperio español

Santo Domingo proclamó su independencia en 1821 con el nombre de Haití Español, Estado de corta existencia, ya que en 1822 fue anexionado por el vecino Haití. Los dominicanos se rebelaron y recuperaron su libertad en 1844. Los nuevos intentos anexionistas por parte de Haití y las disensiones internas movieron a los dominicanos a solicitar su reincorporación a España (1860), a la que se mantuvieron unidos hasta 1865. Tras la recuperación de la soberanía se vivió una época de inestabilidad, a la que puso término el presidente Ulises Heureaux a comienzos de la década de los ochenta. Heureaux mejoró la infraestructura y diversificó la actividad económica.

Toussaint l'Overture recibe la carta del primer cónsul, Philomé Obin. Museo de Bellas Artes de Caracas. Venezuela.

Toussaint, revolucionario haitiano, se convirtió en el líder del movimiento libertador. Organizó un Estado semiindependiente y fue nombrado gobernador vitalicio.

"¿Qué suerte elegirán los españoles: la guerra sin tregua, confesa o disimulada, que amenaza y perturba las relaciones siempre inquietas y violentas del país, o la paz definitiva, que jamás se conseguirá en Cuba sino con la independencia? ¿Enconarán y ensangrentarán los españoles arraigados en Cuba la guerra en que pueden quedar vencidos? ¿Ni con qué derecho nos odiarán los españoles, si los cubanos no los odiamos? La revolución emplea sin miedo este lenguaje, porque el decreto de emancipar de una vez a Cuba de la ineptitud y corrupción irremediables del Gobierno de España, y abriría franca para todos los hombres al mundo nuevo, es tan terminante como la voluntad de mirar como a cubanos, sin tibio corazón ni amarguras, a los españoles que por su pasión de libertad ayuden a conquistarla en Cuba, y a los que con su respeto a la guerra de hoy rescaten la sangre que la de ayer mandó a sus golpes del pecho de sus hijos".

En *Manifiesto de Montecristi*, de José Martí.

Los puertorriqueños y los cubanos no tardaron en adherirse al movimiento independentista a causa de la escasa habilidad de los gobiernos españoles, que les negaron el derecho a enviar representantes a las Cortes, se resistían a concederles autonomía administrativa y les imponían inoportunamente nuevos impuestos. La presión de los Estados Unidos para conseguir de España la venta de sus últimas colonias y la abolición de la esclavitud, que se decretó en 1880 y perjudicó a los cultivadores de caña de azúcar, estimularon los anhelos independentistas de los criollos.

El general español Martínez Campos logró sofocar la rebelión cubana de 1868 y restablecer la paz (Paz de Zanjón, 1878), a cambio de concesiones autonómicas y de los derechos, excepto el de voto, proclamados por la Constitución española. Estas concesiones no contentaron a los criollos, que en 1892 fundaron el Partido Revolucionario Cubano, del que fue ideólogo José Martí (1853-1895), personalidad clave en el movimiento independentista y literato notable.

La rebelión comenzó de nuevo en febrero de 1895. El presidente norteamericano Mac Kinley dirigió un ultimátum a España instándole a pacificar la isla. Este hecho movió al Gobierno español a conceder autonomía política a los cubanos. No se logró, sin embargo, detener el proceso emancipador, que se aceleró con la intervención directa de los norteamericanos en el conflicto. Los Estados Unidos responsabilizaron a España de la voladura del Maine, barco que habían enviado a La Habana con la misión de proteger a sus súbditos;

Fin del Imperio español

desembarcaron en Guantánamo y dieron comienzo las hostilidades. La armada española fue aniquilada en Cavite (Filipinas, 1 de mayo) y Santiago de Cuba (3 de julio). Por el Tratado de París (10 de diciembre de 1898), España renunció a sus derechos sobre Cuba, Puerto Rico, las Filipinas y los archipiélagos de la Micronesia. Así terminó el imperio español, que se había mantenido entre los mayores del mundo durante casi 400 años.

La voladura del buque norteamericano Maine, nunca aclarada del todo, provocó la declaración de guerra de los Estados Unidos contra España. La pérdida de esa guerra puso fin al viejo imperio español.

Brasil tras la independencia

Desde la proclamación de Pedro II como emperador en 1831, la historia del Brasil fue una sucesión de enfrentamientos civiles y movimientos separatistas. Entre 1848 y 1864 se mantuvo la ficción democrática por medio de la alternancia pactada en el poder de liberales y conservadores. La extensión del republicanismo debilitó al régimen monárquico, y la abolición de la esclavitud (1888) le privó del apoyo de la oligarquía cafetera. Esta, perjudicada en sus intereses, decidió sustituir el régimen imperial por el republicano, que fue instituido en 1889. Contra la República oligárquica se alzaron algunos militares y líderes populares como el iluminado Antonio Maciel, *El Consejero*, creador de una comunidad de unos 30.000 rebeldes en el árido desierto del Estado de Bahía. En 1894 fue elegido presidente por sufragio universal y directo Prudente de Morais, primer civil en ocupar el cargo.

Alegoría de la salida de don Pedro II hacia Europa después de la Declaración de la República, Fundación María Luisa y Oscar Americano. San Pablo.

Muchas de las imágenes asociadas a la Independencia, que consisten en escenas alegóricas y personificaciones de diversas repúblicas americanas, suponían un rechazo de las tradiciones establecidas durante la época colonial.

Los indígenas en la América independiente

La independencia significó, teóricamente, la aplicación del principio de la igualdad jurídica de los ciudadanos. Sin embargo, los criollos mantuvieron el orden social y económico y los valores y actitudes heredados de la dilatada época colonial. En definitiva, la independencia de América fue sólo la de la América criolla.

IMÁGENES DE AMÉRICA LATINA

Los indígenas en la América independiente

La Revolución liberal-burguesa supuso el triunfo del capitalismo y de la economía de mercado, la aparición de la sociedad de clases y la explotación sistemática de los trabajadores, incluidos niños y mujeres. Así, el paternalismo de la época colonial fue sustituido por la "moral" burguesa del beneficio, de manera que se intensificaron la servidumbre y la explotación de los indígenas. En las zonas rurales, los indios solían recibir pequeñas parcelas de tierra a cambio de la realización obligatoria de trabajos gratuitos al servicio del propietario. En la minería y en las industrias manufactureras se recurrió a sistemas aún más sofisticados: los patronos concedían préstamos a los trabajadores indígenas quienes, incapaces de devolverlos a causa de sus modestos ingresos, quedaban de por vida vinculados al trabajo y al patrono.

Las tierras propiedad de las comunidades indígenas y los bosques y pastos de explotación comunal, los "resguardos" de la época colonial, fueron privatizados por los gobiernos liberales, que los consideraban, como a las propiedades de la Iglesia, incompatibles con la economía de mercado y de la libre empresa. Además, muchos caudillos ocupaban violentamente las propiedades indias para distribuirlas entre sus fieles y premiar así sus servicios. Los indios expulsados de sus tierras pasaban a engrosar las filas de los semisiervos y del proletariado urbano. Lo peor de todo fue que el racismo aumentó: las culturas indígenas eran, para los criollos, factores retardatarios cuya desaparición era deseable. Se partía del supuesto de que puestas en contacto dos culturas, la "superior" acaba por imponerse siempre a la "inferior". Los indios, además, eran considerados contrarios al progreso e ingobernables, sólo útiles como mano de obra barata. Para colmo, las desigualdades sociales se explicaron como resultado de las diferencias raciales, es decir, como un hecho natural e inevitable. Sin embargo, esta singular concepción del indio no impidió el auge del indigenismo literario y la evocación del pasado indígena como una de las señas de identidad fundamentales de Iberoamérica.

"¿Qué porvenir aguarda a México, al Perú, Bolivia y otros estados sudamericanos que tienen aún vivas en sus entrañas, como no digerido alimento, las razas salvajes o bárbaras indígenas que absorbió la colonización, y que conservan obstinadamente sus tradiciones de los bosques, su odio a la civilización, sus idiomas primitivos y sus hábitos de indolencia y repugnancia desdeñosa contra el vestido, el aseo, las comodidades y los usos de la vida civilizada? ¿Cuántos años, si no siglos, para levantar aquellos espíritus degradados a la altura de los hombres cultos, y dotados del sentimiento de su propia dignidad?".

En *Instrucción Pública*, de Domingo Faustino Sarmiento.

Los intereses comerciales y el racismo se tradujeron en violencia física: los argentinos, por ejemplo, organizaron expediciones militares contra los patagones, los chilenos contra los araucanos, y por todas partes se perseguía a los "indios bárbaros", a los no integrados. La población indígena respondió de diversas maneras a la marginación y persecución: algunos huyeron a las selvas y a las montañas; otros optaron por la rebelión, como en el caso de los mayas del Yucatán (1847), de los araucanos de Chile (1857) y de los nómadas de la Pampa (1864), y otros, la mayoría, aceptaron sumisamente la situación.

Las inmigraciones europeas

De la misma manera que los españoles y los portugueses habían tenido que importar mano de obra esclava, a causa de la resistencia de los indios al trabajo, los estados iberoamericanos del siglo XIX se vieron forzados a favorecer la inmigración de trabajadores europeos. La inmigración, resultado de las crisis europeas, comenzó a mediados de la centuria y se mantuvo hasta los años treinta del siglo XX. Los inmigrantes eran mayoritariamente campesinos, aunque había también trabajadores industriales, artesanos y algunos profesionales liberales. Así, mientras Inglaterra exportaba técnicos y capitales y Francia cultura, como se verá más adelante, los pueblos mediterráneos inundaron Iberoamérica de trabajadores manuales.

Las inmigraciones europeas

Los inmigrantes introdujeron técnicas que favorecieron el desarrollo de la industria. A pesar de que la mayoría se instaló en el campo, impulsaron también el desarrollo del urbanismo y de las clases medias. Con ellos llegó también la ideología revolucionaria del movimiento obrero. Los inmigrantes más numerosos fueron los italianos -dos millones y medio en Argentina y millón y medio en Brasil-, seguidos por los españoles -dos millones en Argentina, 600.000 en Brasil- y por los portugueses, que en número de millón y medio se instalaron en Brasil.

La Iglesia y los Estados latinoamericanos

El papado reconoció en 1835 a los nuevos estados, colaboró con ellos y desplazó a los españoles de la jerarquía eclesiástica, siendo sus puestos ocupados por criollos. Los liberales hispanoamericanos, como los españoles, respetaron el dogma católico, pero criticaron el poder económico de la Iglesia. Tuvieron que admitir la realidad espiritual de sus pueblos y, por consiguiente, declarar al catolicismo religión única y permitir a la Iglesia continuar encargándose de la enseñanza, entre otras razones porque los nuevos estados carecían de medios para hacerse cargo de tan importante tarea.

Las grandes propiedades de la Iglesia eran contempladas por los liberales como un anacronismo que sustraía del mercado una inmensa masa de riqueza, razón por la que la mayoría de los estados las privatizaron. El laicismo de los liberales no dejó de manifestarse a lo largo de la centuria, sobre todo en México, donde Benito Juárez decretó la enseñanza gratuita y laica (1867), ejemplo que fue seguido por otros dirigentes iberoamericanos, sin que ello afectara negativamente a la profunda fe católica del pueblo.

Tras los procesos de secularización, las propiedades más importantes que logró conservar la Iglesia en el siglo XIX fueron las haciendas-misiones, como la misión de Daguipulii que aparece en la imagen.

En búsqueda de la independencia cultural. El Romanticismo

La creación de academias por todo el continente -Real Academia de San Carlos (México, 1785), Academia de San Luis (Chile, 1797), Escuela de Pintura y Escultura de San Alejandro (Cuba, 1818), etc.- aseguró la vigencia del neoclasicismo durante todo el siglo XIX. Neoclásicas son, por ejemplo, la Casa de la Moneda de Santiago de Chile y las catedrales de Bogotá y Buenos Aires. En coexistencia con el neoclasicismo, durante el siglo XIX, se extendió por Latinoamérica una arquitectura historicista que dio excelentes frutos en el Perú, donde fusionó la herencia hispana con la indígena. Los pintores y escultores neoclásicos sustituyeron los temas religiosos por los profanos. Gran desarrollo tuvieron la escultura monumental, la conmemorativa de grandes eventos históricos, como la independencia, los retratos y los grupos funerarios.

La búsqueda de la independencia cultural. El Romanticismo

Tras la independencia, los europeos continuaron imponiendo a los iberoamericanos sus modelos culturales, estableciendo de esta manera un nuevo sistema de dominio, que se añadió al económico. Sin embargo, a pesar de su admiración por Europa, los intelectuales iberoamericanos trataron de acabar con esta forma de dependencia mediante la creación de formas propias de pensamiento, artísticas y literarias: opusieron la espiritualidad y el nacionalismo al materialismo y al cosmopolitismo de la Ilustración, y exaltaron lo tradicional y exclusivo de sus pueblos, su historia y sus costumbres, dando así comienzo una corriente de americanismo cultural. Sin embargo, estos ideales eran también de origen europeo, resultado de la extensión a América del Romanticismo, movimiento cultural vinculado al nacionalismo y al liberalismo que exaltaba el "alma de los pueblos". Curiosamente, el americanismo cultural y la apropiación por los criollos del pasado indígena como parte de su legado histórico no evitaron los prejuicios raciales ni mejoraron la imagen de los indios entre la población blanca.

Tensión, intimismo, interés por el paisaje y por los tipos humanos populares y exaltación nacionalista y de la libertad están presentes en la mayoría de los literatos románticos latinoamericanos. El venezolano José Joaquín de Olmedo, el cubano José María de Heredia y el venezolano Andrés Bello marcaron, entre otros, la transición entre el neoclasicismo y el romanticismo poéticos. Literatos románticos notables fueron, por ejemplo, el argentino José Mármol, luchador incansable contra la dictadura: *Cantos del peregrino*; el también argentino Domingo Faustino Sarmiento, autor comprometido con la causa de la libertad, y la cubana Gertrudis Gómez de Avella-neda, poeta, dramaturga y novelista. El interés romántico por los tipos populares dio origen a la literatura gauchesca, que alcanzó su mejor expresión en la poesía del argentino José Hernández, autor de *Martín Fierro*, extenso poema que exalta las virtudes del gaucho y del mundo rural.

"Le llaman "gaucho mamao"
si lo pillan divertido;
y que es mal entretenido
si en un baile lo sorprienden;
hase mal si se defiende
y si no, se ve...fundido.

No tiene hijos, ni mujer,
ni amigos, ni protetores,
pues todos son sus señores
sin que ninguno lo ampare.
Tiene la suerte del güey:
y dónde irá el güey que no are.

Su casa es el pajonal,
su guarida es el desierto;
y si de hambre medio muerto,
le echa el lazo a algún mamón,
lo persiguen como a plaito
porque es un "gaucho ladrón".

De *Martín Fierro*,
de José Hernández.

La escritora cubana Gertrudis Gómez de Avellaneda fue precursora del feminismo moderno, tanto por su postura vital como por la fuerza de sus personajes femeninos.

Géneros románticos en prosa fueron el costumbrista, cuyo máximo representante fue Ricardo Palma, autor de *Tradiciones peruanas*; el indigenista, que tuvo muchos cultivadores en diversos países, y el senti-mental, en el que destacó el colombiano Jorge Isaacs, autor de *María*, la mejor novela del género. En Brasil, el romanticismo literario tomó una orientación nostálgico-lírica en Gonçalves Dias, autor del poema *Canto del destierro*, y político-social en Antonio de Castro, republicano y defensor de los indígenas.

La búsqueda de la independencia cultural. El Romanticismo

El ideal de creación de una cultura desvinculada de la europea no logró realizarse. Europa continuó exportando su cultura y sus modas a Latinoamérica. Superada en el área económica por Inglaterra, Francia puso en práctica una forma más sutil de presencia y dominio que le reportó inmensos beneficios: llevó a cabo una inteligente política de promoción de su cultura, que se erigió en el modelo por excelencia para los artistas y literatos iberoamericanos. Hacia 1860, en la época de Napoleón III, se acuñó en Francia el nombre de Latinoamérica, que fue aceptado por los iberoamericanos como denominación común para distinguirse de los angloamericanos. Así pues, la independencia política tampoco significó independencia cultural.

Positivismo y Krausopositivismo

El auge del liberalismo se tradujo en el del laicismo en el último tercio del siglo, este cambio de valores preparó el camino al positivismo, corriente filosófica creada por Augusto Comte que rechazaba la metafísica, no admitía más verdad que la obtenida de la experiencia, y, en el plano político, conceptuaba la ley como emanación de la voluntad del Estado, ente monopolizador del poder. Estas tesis fueron aprovechadas por los dictadores para justificar sus tiranías e inspiraron formulaciones como las del pedagogo Domingo Faustino Sarmiento contra los indígenas y contra la hispanización de América: *Facundo o Civilización y barbarie, Conflicto y armonía de las razas en América.*

También en el último tercio de la centuria, a la vez que otras corrientes del pensamiento y científicas como el evolucionismo darwiniano, llegó a Iberoamérica el krausopositivismo, que concilió ciencia y filosofía, materialismo e idealismo. Esta corriente constituía la base del pensamiento de los fundadores, en España, de la Institución Libre de Enseñanza (1876), centro docente laico e innovador que se propuso formar ciudadanos responsables y comprometidos con la causa de la democracia, y fomentó el desarrollo de la inteligencia, la práctica del deporte, el contacto con la naturaleza, la coeducación y la convivencia entre profesores y alumnos. Los métodos de la Institución y el pensamiento krausopositivista tuvieron gran repercusión y seguidores en Hispanoamérica.

En todos los países se legisló a favor del fomento de la enseñanza, se impuso la educación laica y estatal y se protegieron los estudios científicos. Sin embargo, las dificultades económicas y el egoísmo de las oligarquías, que eran conscientes del peligro que para sus intereses suponía la alfabetización del pueblo y la extensión de la cultura, impidieron culminar la implantación de los programas de extensión de la enseñanza.

Realismo, Naturalismo y Modernismo

Los movimientos europeos del Realismo y el Naturalismo llegaron a Hispanoamérica a finales de la centuria. Eran el eco literario del nuevo orden de valores laico y científico-positivista. Los realistas trataban de reflejar e interpretar la realidad, los naturalistas trataron de reproducirla objetivamente, sin ocultar sus aspectos más desagradables. Ambas corrientes pusieron término al lirismo, a la fantasía y al intimismo románticos. El más destacado de los autores realistas fue Alberto Blest Gana, cronista de la sociedad chilena de mediados de la centuria: *Martín Rivas.*

A finales de la centuria entra en crisis el orden de valores positivista y universalista y se produce una reacción general en defensa, de nuevo, de las señas de identidad hispanoamericanas y a favor del idealismo, a la vez que los literatos ensayaban nuevos lenguajes literarios. En este clima de inquietud intelectual llegó a América el espiritualismo modernista, que tuvo su máximo defensor en el ensayista uruguayo José Enrique Rodó. Los modernistas, los poetas sobre todo, trataron de aprehender y expresar la belleza ideal por medio de un lenguaje metafórico y musical. La nueva corriente tuvo muchos cultivadores, entre ellos el líder independentista cubano José Martí, y alcanzó su mejor expresión en la poesía del nicaragüense Rubén Darío (1867-1916)

Realismo, Naturalismo y Modernismo

-*Azul*, *Prosas profanas*, *Cantos de vida y esperanza*-, que la recreó y la reexportó a Europa, a España sobre todo, donde ejerció una intensa influencia en gran número de poetas. Entre los seguidores de Rubén Darío, el mexicano Amado Nervo fue gran poeta del amor: *La amada inmóvil*; el argentino Leopoldo Lugones fue poeta innovador y experimentalista: *Los crepúsculos del jardín*.

En Brasil, la reacción contra el apasionamiento romántico procedió del poeta y novelista realista Joaquim María Machado de Assis, el más eminente literato brasileño del siglo XIX: *Memorias póstumas de Bras Cubas*. A finales del siglo se gestó un movimiento literario de contenido ideológico: Euclydes da Cunha noveló en *Os Sertoes* la rebelión de los "canudos" de 1897, que inspiró a Vargas Llosa la novela *La guerra del fin del mundo*. José Pereira de Graça destacó el valor regenerador de la inmigración blanca: *Canaán*.

El cubano José Martí fue el principal ideólogo de la independencia de Cuba. Advirtió de los problemas que podría representar para América Latina el imperialismo americano.

Panamericanismo e Hispanoamericanismo

Los norteamericanos se mantuvieron hasta finales del siglo XIX al margen de las guerras de la independencia de las colonias hispanas. Sin embargo, desde fechas muy tempranas manifestaron su intención de no permanecer indiferentes a cualquier aventura neocolonialista en el continente por parte de los europeos. Sus temores no eran infundados: la Europa vencedora de Napoleón, asociada en la conservadora Santa Alianza, había ayudado a Fernando VII a restablecer el absolutismo en España, y había considerado la posibilidad de ayudarle también a sofocar la rebelión de las colonias. La frase "América para los americanos" dejó bien clara la posición de los norteamericanos respecto al continente.

De la doctrina Monroe se derivó el panamericanismo, movimiento ideológico que trataba de establecer un marco de cooperación en pie de igualdad entre todos los países del continente, anglosajones e ibéricos, pero que en la práctica traducía la voluntad de los norteamericanos de alzarse con el liderazgo continental y de suplantar a los europeos en el comercio de Latinoamérica. Los norteamericanos se anexionaron, en 1848, una enorme extensión de territorios mexicanos; a lo largo de la centuria tejieron una extensa red de influencias en Centroamérica y el Caribe; en 1890 crearon la Unión Internacional de Repúblicas Americanas (1890), que dirigida desde Washington defendió sus intereses políticos y económicos en todo el continente, y en 1898 obligaron a España a abandonar sus últimas posesiones americanas y las Filipinas. Los ideólogos norteamericanos justificaron su política imperialista por razones éticas, históricas e incluso biológicas, pues atribuían a los anglosajones una superioridad racial que la legitimaba.

Frente al imperialismo norteamericano, los hispanoamericanos ensalzaron su común patrimonio cultural y lingüístico hispano, surgiendo así una corriente de simpatía hacia España, la "Madre Patria". Fue entonces cuando se acuñó el término "Raza" para referirse a la comunidad cultural y lingüística de los pueblos hispanos. Al desarrollo del hispanoamericanismo contribuyeron también la solidaridad y los contactos entre los liberales españoles e hispanoamericanos y la conciencia del pasado común. Los literatos modernistas defendieron la herencia hispánica y la identidad hispanoamericana frente al peligro de la norteamericanización, sobre todo el poeta Rubén Darío y el ensayista uruguayo José Enrique Rodó.

IMÁGENES DE AMÉRICA LATINA

96

Panamericanismo e Hispanoamericanismo

El hispanoamericanismo experimentó un gran auge entre las últimas décadas del siglo XIX y los comienzos del siglo XX; en España dio origen a una corriente patriótico-nacionalista de la que fue destacado ideólogo el vasco Ramiro de Maeztu (1875-1936), autor de una serie de ensayos titulados *Defensa de la Hispanidad.* Sin embargo, frente a los hispanoamericanistas, algunos sectores criollos aceptaron los tópicos sobre la colonización española -genocidio, avidez de oro de los conquistadores, éxito del sistema anglosajón y fracaso del español, etc.-, para así adjudicar a España la responsabilidad del subdesarrollo económico y de la inestabilidad política y social del subcontinente. Por otro lado, la torpe política de los gobiernos españoles en Cuba y Puerto Rico frenó el auge del hispanoamericanismo.

Rubén Darío, retrato de Vázquez Díaz.

La obra de Rubén Darío incorporó a la literatura en español la modernidad literaria europea (Verlaine, Baudelaire, Rimbaud, Wilde) y la americana (Poe, Withman).

"Los Estados Unidos son potentes y grandes.
Cuando ellos se estremecen hay un hondo temblor
que pasa por las vértebras enormes de los Andes.
Si clamáis, se oye como el rugir del león.
Ya Hugo a Grant lo dijo: "Las estrellas son vuestras."
(Apenas brilla, alzándose, el argentino sol
y la estrella chilena se levanta...) Sois ricos.
Juntáis al culto de Hércules el culto de Mammón;
y alumbrando el camino de la fácil conquista,
la Libertad levanta su antorcha en Nueva York.

Mas la América nuestra, que tenía poetas
desde los viejos tiempos de Netzahualcóyotl,
que ha guardado las huellas de los pies del gran Baco,
que el alfabeto pánico en un tiempo aprendió;
que consultó los astros, que conoció la Atlántida
cuyo nombre nos llega resonando en Platón,
que desde los remotos momentos de su vida
vive de luz, de fuego, de perfume, de amor,
la América del grande Moctezuma, del Inca,
la América fragante de Cristóbal Colón,
la América católica, la América española,
la América en que dijo el noble Guatemoc:
"Yo no estoy en un lecho de rosas"; esa América
que tiembla de huracanes y que vive de Amor;
hombres de ojos sajones y alma bárbara, vive.
Y sueña. Y ama, y vibra; y es la hija del Sol.
Tened cuidado. ¡Vive la América española!
Hay mil cachorros sueltos del León Español.
Se necesitaría, Roosevelt, ser por Dios mismo,
el Riflero terrible y el fuerte Cazador,
para poder tenernos en vuestras férreas garras.

Y, pues contáis con todo, falta una cosa: ¡Dios!".

"A Roosevelt", de Rubén Darío
en *Cantos de vida y esperanza.*

Hacia el siglo XX

A pesar del arcaísmo de la estructura social y de los sistemas oligárquicos, en los años finales del siglo XIX se manifiestan en Latinoamérica signos de modernidad. La pacificación progresiva del continente y el fin del proceso de gestación de los nuevos estados-naciones liberaron energías que se aplicaron a la mejora de su organización interna, a la creación de burocracias complejas y a conseguir una efectiva separación de poderes y un recto funcionamiento del parlamentarismo. La emergencia del proletariado industrial y de las clases medias, el auge del urbanismo y la creciente participación activa de los intelectuales en la política eran signos inequívocos de modernidad.

IMÁGENES DE AMÉRICA LATINA

América Latina a comienzos del siglo XX

El pueblo toma las armas, David Alfaro Siqueiros. Museo Nacional de Historia. Ciudad de México (INAH).

Siqueiros, junto a Diego Rivera y José Clemente Orozco, creó el movimiento muralista mexicano. Al igual que sus compañeros, postuló la necesidad de un arte público y monumental inspirado en el indigenismo.

El orden oligárquico y la dependencia neocolonial de Latinoamérica se mantuvieron hasta bien entrado el siglo XX. La crisis internacional desencadenada por el hundimiento de la bolsa norteamericana en 1929 tuvo nefastas consecuencias para las economías del Sur. Muchos gobiernos respondieron a los problemas planteados por la crisis con los populismos militaristas. Gradualmente, en un proceso que culminaría tras el triunfo de las democracias en la Segunda Guerra Mundial, la democracia cristiana comenzó a desplazar del poder a las oligarquías tradicionales, y los Estados Unidos se erigieron en la potencia dominante en América Latina.

En el ámbito del arte y la cultura, Latinoamérica se abrió al movimiento vanguardista internacional y se consolidó la gran tradición literaria que culminará en el denominado boom latinoamericano.

Los estados oligárquicos hasta la crisis internacional de 1929

Las economías latinoamericanas continuaban a comienzos del siglo XX basadas en la producción y exportación de productos primarios, en las inversiones y en la financiación extranjeras. Se exportaba fundamentalmente estaño (Bolivia), cobre y nitrato (Chile), plata (México y Bolivia), trigo y carne (Argentina y Uruguay), café (Brasil, Colombia, Venezuela, Centroamérica), plátanos (Centroamérica), azúcar (Cuba y Puerto Rico), petróleo (México, Venezuela, Colombia, Perú) y caucho (Brasil). Sin embargo, las importaciones de productos industriales y de tecnología extranjeros aumentaron la dependencia económica y la deuda externa del subcontinente.

La industrialización dio comienzo en fechas muy tardías, tuvo una desigual distribución geográfica y en ninguna parte alcanzó gran desarrollo. Las causas de su retraso y debilidad fueron las carencias tecnológicas y de capitales. La coyuntura cambió de signo como resultado del aumento de la demanda por los países beligerantes en la Primera Guerra Mundial, que estimuló la producción industrial. Como consecuencia de ello, el número de asalariados creció y el movimiento obrero se dinamizó.

Los Estados Unidos llevaron a sus últimas consecuencias el panamericanismo mediante la intervención directa en Latinoamérica: establecieron protectorados sobre Cuba y Puerto Rico, islas independientes de España desde 1898; crearon el nuevo Estado de Panamá al objeto de construir y controlar un canal de comunicación entre los océanos Atlántico y Pacífico; intervinieron en la política de las repúblicas centroamericanas a través de la compañía United Fruit, creada en 1899, y su ejército participó en algunas acciones bélicas en el subcontinente. Después de la Primera Guerra Mundial se erigieron en una gran potencia y comenzaron a sustituir a los europeos en su posición dominante en América Latina.

Como resultado del desarrollo económico y de la inmigración, la población aumentó, el urbanismo se extendió y las clases medias, cada vez más numerosas, comenzaron a intervenir en la actividad política y a disputar el poder a caudillos y oligarcas. Fueron la base social de la democracia cristiana y le proporcionaron sus líderes e ideólogos.

En Argentina, la prosperidad económica impulsó el cambio sociopolítico y hubo que reconocer el derecho al voto masculino (1911). Los radicales, en el poder desde 1916, intentaron sanear la política, erradicar el fraude electoral y terminar con los excesos del movimiento obrero y con el terrorismo de la extrema derecha. Fueron derribados del poder (1930) por un golpe militar organizado por la oligarquía tradicional, que se obstinaba en mantener sus privilegios.

La comercialización de los fertilizantes sintéticos perjudicó a la economía chilena, que se basaba en la exportación de salitre, dando así comienzo una crisis que forzó a Arturo Alessandri, presidente desde 1920, a aplicar un programa de contenido social. La historia del Ecuador de comienzos del siglo XX fue un permanente intento de modernización del país, que fue entendida por el presidente Eloy Alfaro como sinónimo de descristianización y laicismo, principios inspiradores de su política que le acarrearon la muerte violenta a manos de una enfurecida muchedumbre en 1912.

PODER ADQUISITIVO REAL DE LAS EXPORTACIONES LATINOAMERICANAS (1913-100)
(en millones de dólares)

Crecimiento alto (+ del 5%)	1917-1918	1928	Principales productos exportados en 1923-25
VENEZUELA	37	281	Cobre, petróleo
COLOMBIA	54	276	Café
MÉXICO	178	251	Petróleo, plata
PERÚ	106	198	Petróleo, algodón

Crecimiento medio (entre 2 y 5%)	1917-1918	1928	Principales productos exportados en 1923-25
PARAGUAY	96	174	Quebracho, madera
EL SALVADOR	82	167	Café
BRASIL	48	158	Café
ARGENTINA	60	146	Trigo, maíz
GUATEMALA	34	139	Café, banano

Crecimiento negativo (-1%)	1917-1918	1928	Principales productos exportados en 1923-25
RESTO	70,8	97,3	Café, banano, estaño

Fuente: Historia de América Latina, *dirigida por* Leslie Campbell, Cambridge University Press, *Editorial Crítica, 1991.*

Los estados oligárquicos hasta la crisis internacional de 1929

Uruguay se situó con José Batlle, el político latinoamericano más eficaz de la época y presidente entre 1903-1907 y 1911-1915, entre los países más desarrollados del Cono Sur. Batlle promulgó una avanzada legislación socio-laboral, favoreció la instrucción pública, intensificó la intervención del Estado en los servicios básicos y separó la Iglesia del Estado. La Ley de Lomas (1929) permitió a los miembros de los partidos Blanco y Colorado desempeñar puestos públicos independientemente del color del gobierno de turno, lo que flexibilizó y dio estabilidad al sistema. En 1933 asumió todos los poderes el presidente Gabriel Terra.

En Paraguay, a pesar de los frecuentes cambios de gobierno y de los golpes de Estado, la modernización administrativa y la reforma agraria de comienzos de los años veinte paliaron los negativos efectos de la crisis de la década de los treinta.

El incremento de las exportaciones y los regímenes dictatoriales, que garantizaban la seguridad de las inversiones extranjeras, favorecieron el crecimiento económico del Perú hasta los años treinta. Pero ello no significó justicia social ni benefició a los indios. Su problemática situación fue analizada y denunciada por algunos ideólogos progresistas, entre ellos Víctor Raúl Haya de la Torre (1895-1979), intelectual marxista y antiimperialista fundador de la Alianza Popular Revolucionaria Americana (APRA), que contó con muchos adeptos entre las clases medias y entre intelectuales como Ciro Alegría. Más dramática era aún la situación de los indios en Bolivia, donde la oligarquía los mantenía en condiciones de extrema miseria. La economía nacional boliviana, basada en la exportación del estaño, estaba condicionada por los precios de este producto en los mercados internacionales.

José Batlle y Ordóñez dirigió la reforma institucional de la República Oriental del Uruguay, una de las realizaciones progresistas más brillantes y justas del contexto americano.

Víctor Raúl Haya de la Torre fundó el Partido Aprista Peruano con la intención de crear una nueva Internacional reformista y popular.

En Colombia, tras la guerra civil de los Mil Días (1899-1902), los conservadores accedieron al poder y restringieron el derecho de voto en 1910. A partir de 1930, los liberales tuvieron que hacer frente a la recesión económica generada por la crisis de la década. El primer tercio del siglo XX fue para Venezuela una época de dictadura bajo el mando supremo del general Juan Vicente Gómez. Su régimen autocrático comenzó a resquebrajarse tras su muerte en 1935.

En Brasil, Campo Sales, elegido presidente en 1898, saneó las finanzas y se reservó el derecho a elegir sucesor y a someter su nombramiento a la aprobación de los gobernadores y al voto popular. Posteriormente, la elección de sucesor se reservó a los gobernadores de los estados más influyentes.

La Revolución mexicana. El Porfiriato

Porfirio Díaz, caudillo de humilde origen mestizo, ocupó el poder en México entre 1876 y 1910. Díaz favoreció la participación de los estamentos populares en la política, pero marginó a la población indígena. Apoyó su poder en una extensa red de amigos, en la limitación de las libertades y en la perversión del sistema democrático; prosiguió la privatización de las tierras eclesiásticas e indígenas; atrajo la inversión extranjera y

La Revolución mexicana. El Porfiriato

modernizó la infraestructura básica, consiguiendo así mejoras sociales y económicas. No pudo evitar, sin embargo, el desencadenamiento de una grave crisis al final de su mandato. La crisis culminó con el levantamiento de Francisco Madero (1911), que contó con la ayuda, inicialmente, de los líderes campesinos Pancho Villa y Emiliano Zapata. Madero fue derrocado por un golpe militar que inauguró una etapa de enfrentamientos sociales. La Constitución de 1917 restableció la legalidad y el presidente Venustiano Carranza (1916-1920) atendió algunas de las demandas populares, nacionalizó el petróleo y limitó los derechos de la Iglesia. La oposición popular contra el anticlericalismo institucionalizado culminó en la Revolución de los Cristeros (1926-1929). En 1929 hubo que restablecer el culto católico.

"*Nuestra revolución es la otra cara de México, ignorada por la Reforma y humillada por la Dictadura. No la cara de la cortesía, el disimulo, la forma lograda a fuerza de mutilaciones y mentiras, sino el rostro resplandeciente de la fiesta y la muerte, del mitote y el balazo, de la feria y el amor, que es rapto y tiroteo. La Revolución apenas sí tiene ideas. Es un estallido de la realidad: una revuelta y una comunión, un trasegar viejas sustancias dormidas, un salir al aire muchas ferocidades, muchas ternuras y muchas firmas ocultas por el miedo a ser. ¿Y con quién comulga México en esta sangrienta fiesta? Consigo mismo, con su propio ser. México se atreve a ser. La explosión revolucionaria es una portentosa fiesta en la que el mexicano, borracho de sí mismo, conoce al fin, en abrazo mortal, al otro mexicano*".

En *El laberinto de la soledad*, de Octavio Paz. México. FCE. 1981.

Centroamérica, cabeza de puente del intervencionismo norteamericano

Los norteamericanos se sirvieron de Centroamérica y de las Antillas como cabeza de puente para intervenir en Latinoamérica. La compañía United Fruit fue un valioso instrumento al servicio del intervencionismo norteamericano en las llamadas "repúblicas bananeras". Esta compañía impuso el monocultivo, plátanos y café sobre todo, en latifundios que regía y administraba al margen del ordenamiento legal; fijaba el precio de los productos en el exterior, se oponía a cualquier proyecto reformista contrario a sus intereses e intervenía directamente en la política interna de los estados.

"*A la proximidad de la república imperial y su interés por la vía a través del istmo se agrega en muchos países la presencia económica tentacular de las empresas agrarias de Estados Unidos. El nombre evocador o maldecido de la United Fruit resume sus características y su estilo. Con su sistema de integración vertical y de subsidiarias, las compañías fruteras estadounidenses crearon verdaderas economías de enclave con bancos, puertos e incluso ferrocarriles propios.*
Guatemala y Honduras, como Costa Rica y Panamá, sufrieron en diversos grados esta situación de dominación que les valió en Washington el sobrenombre humillante de "repúblicas bananeras"...".

En *Las fuerzas políticas en América Central*, de Alain Rouquié (coor.). Fondo de Cultura Económica. México. 1991.

Centroamérica, cabeza de puente del intervencionismo norteamericano

Nicaragua accedió al siglo XX bajo el signo del reformismo liberal. El presidente José Santos Zelaya, promotor de la creación de la República Mayor de Centroamérica, modernizó la infraestructura y separó la Iglesia del Estado. A partir de 1937 el país cayó bajo el dominio de Anastasio Somoza García, presidente entre 1937-1947 y entre 1950-1956, a quien sucedieron sus hijos Luis Somoza y Anastasio Somoza, que fue asesinado en 1972. El Salvador experimentó, gracias a la exportación del café, una etapa de prosperidad económica hasta los años treinta. Guatemala estuvo sometida a una férrea dictadura militar hasta mediados de los años cuarenta. En Honduras, el turno entre los partidos oligárquicos marcó su historia durante el primer tercio del siglo XX. A pesar de que su economía dependía también de la producción y exportación de plátanos y café controladas por la United Fruit, Costa Rica constituía una excepción de desarrollo económico y de estabilidad política en la región.

Militar y político nicaragüense, Anastasio Somoza defendió los intereses de EE UU, al tiempo que amasaba una enorme fortuna personal. En 1937 destituyó al presidente y se instaló en el poder hasta la fecha de su muerte, en 1956.

El interés de los norteamericanos en construir un canal de comunicación interoceánica en la zona del istmo de Panamá dio origen al nuevo Estado de la República de Panamá: Colombia pactó con los Estados Unidos la cesión de los trabajos de construcción del canal, pero no accedió a sus pretensiones de obtener el control sobre una franja de terreno a lo largo del mismo. A la negativa de los colombianos respondieron los norteamericanos apoyando las aspiraciones independentistas de los panameños. Así, en 1903 se proclamó el nuevo Estado de Panamá, que concedió a los Estados Unidos la soberanía sobre la Zona del Canal, cuyos trabajos de construcción terminaron en 1914. En 1921 reconoció Colombia la independencia de Panamá, y en 1926 este país se sometió a la tutela de los Estados Unidos.

Esclusas de Miraflores del Canal de Panamá.

Panamá recuperó el control definitivo sobre el Canal en diciembre de 1999, en virtud del acuerdo firmado con Estados Unidos en 1977.

La presencia norteamericana en el área del Caribe

Puerto Rico pasó a depender de los Estados Unidos de América tras la obligada retirada de España en 1898. El imperialismo financiero norteamericano impuso el monocultivo de la caña de azúcar, que era exportada y tratada en los Estados Unidos. En 1917 se reconoció la ciudadanía norteamericana a los nacidos en la isla. Este hecho y la conciencia generalizada de que la vinculación con los Estados Unidos era irreversible, pusieron a los puertorriqueños ante el dilema de permanecer fieles a su identidad hispana o integrarse en el mundo anglosajón. El Partido Nacionalista, fundado en 1920, asumió la defensa de las señas de identidad nacionales frente a la nueva potencia colonizadora. El Partido Democrático Popular (PDP) ha canalizado desde su fundación en 1938

La presencia norteamericana en el área del caribe

las aspiraciones de extensos sectores sociales a la autonomía de la isla en el seno de los Estados Unidos. En 1948 ganó las primeras elecciones a gobernador Luis Muñoz Marín, fundador y líder del PDP.

Cuba también quedó sometida a los Estados Unidos, que la ocuparon militarmente entre 1899 y 1901, consiguieron el reconocimiento del derecho a intervenir en la isla y le impusieron su protectorado. El sargento Fulgencio Batista dirigió un golpe de Estado (1933) y nombró un presidente títere, mientras él controlaba todos los poderes desde la jefatura del Ejército y bajo la supervisión de los norteamericanos. En 1952 protagonizó un nuevo golpe de Estado, ocupó la presidencia y abolió la Constitución.

Tras la muerte por asesinato del dictador Ulises Heureaux en 1899, la República Dominicana también cayó bajo la influencia de Estados Unidos, que la ocupó militarmente hasta 1924. Tras un golpe de estado, Rafael Leónidas Trujillo, miembro de la Guardia Nacional, fue nombrado presidente en 1930 y en 1938 se erigió en dictador.

La crisis de 1929. Militarismos y nacionalismos populistas

El hundimiento de la bolsa norteamericana en 1929 produjo la caída del precio de las materias primas, el repliegue del comercio internacional y la reducción del crédito, lo que supuso un verdadero descalabro para Latinoamérica, donde se desencadenó una grave crisis económica, social y política.

El temor a la revolución estimuló el militarismo en algunos países, como el caso de Chile en la época de Arturo Alessandri y del anticomunista Juan Antonio Ríos, presidente desde 1941. Los mexicanos respondieron a la crisis con el reformismo social y con las nacionalizaciones. La década de los treinta fue especialmente conflictiva en Bolivia, donde a los problemas económicos se añadieron los golpes de Estado y la derrota en la Guerra del Chaco (1932-1935) frente a Paraguay. La guerra la había provocado la necesidad de los bolivianos de buscar una salida al mar por la región del Chaco.

"La crisis mundial abierta en 1929 alcanzó de inmediato un impacto devastador sobre América Latina, cuyo signo más clamoroso fue el derrumbe, entre 1930 y 1933, de la mayor parte de las situaciones políticas que habían alcanzado a consolidarse durante la pasada bonanza".

En *Historia contemporánea de América Latina*,
de Tulio Halperin Donghi. Madrid.
Alianza Editorial. 1998.

La respuesta más generalizada a la crisis fue la del populismo nacionalista. Los líderes populistas eran hábiles manipuladores que aprovechaban el descontento social para instalarse en el poder. Se inspiraban en los dirigentes totalitarios y fascistas europeos, de los que imitaron su retórica y su grandilocuente lenguaje. Sus revolucionarias y utópicas propuestas así como sus proclamas patrióticas, les procuraron el apoyo masivo de las clases populares y medias que, empobrecidas y temerosas de la revolución, depositaron en ellos sus esperanzas. Populistas fueron el ecuatoriano José María Velasco Ibarra, político presente en la política nacional intermitentemente entre 1933 y 1972, y el dominicano Rafael Leónidas Trujillo, "generalísimo" que desde la presidencia o desde otros cargos controló el poder entre 1930 y 1961.

Ejemplo emblemático de populismo nacionalista fue el de Juan Domingo Perón en Argentina, que fue elevado a la presidencia de la República en 1946 por el voto masivo de los trabajadores. A su éxito popular contribuyó su carismática esposa, Eva Duarte, que murió en 1952. Perón detentó dictatorialmente todos los poderes, intervino la economía, nacionalizó varios sectores básicos, expropió compañías extranjeras y desarrolló la industria. Los problemas comenzaron cuando tuvo que recortar las prestaciones sociales y los salarios. Por otro lado, Perón se enfrentó a la Iglesia, a la que acusó de actuar en contra de los intereses del Estado. En 1955 fue incendiado el palacio arzobispal de Buenos Aires y Perón fue excomulgado. En ese mismo año se produjeron dos golpes militares, el segundo de los cuales le destituyó.

La crisis de 1929. Militarismos y nacionalismos populistas

Juan D. Perón, presidente argentino entre 1946 y 1955. Tras un largo exilio en España fue reelegido en 1973. Junto a Eva Perón, practicó una hábil política populista para atraerse a las masas.

"*1. La verdadera democracia es aquella donde el gobierno hace lo que el pueblo quiere y defiende un solo interés: el del pueblo.*

2. El peronismo es esencialmente popular. Todo círculo político es antipopular, y por lo tanto no es peronista.

3. En la acción política la escala de valores de todo peronista es la siguiente; primero la Patria, después el Movimiento y luego los hombres.

4. Un gobierno sin doctrina es un cuerpo sin alma. Por eso el peronismo tiene su propia doctrina política, económica y social: el Justicialismo.

5. El Justicialismo es una nueva filosofía de la vida, simple, práctica, popular, profundamente cristiana y profundamente humanista.

6. Como doctrina económica, el Justicialismo realiza la economía social, poniendo el capital al servicio de la economía y ésta al servicio del bienestar social".

En *El pensamiento peronista*, selección de Aníbal Iturrieta, Ediciones Cultura Hispánica. 1990. (Fragmento del discurso *Las veinte verdades*).

En Brasil, la revolución promovida en 1930 por los gobernadores de los estados federados elevó al poder a Getulio Vargas, creador del "Estado Novo", régimen populista que se propuso modernizar e industrializar el país. Vargas, el "padre de los pobres", se mantuvo en el poder entre 1930 y 1945 y desde 1951 hasta su muerte en 1954. La presidencia de Juscelino Kubitscheck (1954-1960), continuador del "getulismo", constituyó una etapa -"los años dorados"- de estabilidad, modernización y auge económico. Símbolo de la época fue la nueva capital, Brasilia, levantada en el interior del país.

Inflación, Henrique Oswald. Museo de Arte Contemporáneo de la Universidad de Sao Paulo.

Las vanguardias y otras corrientes artístico-literarias

Las vanguardias renovaron el fondo y la forma de la creación artística y literaria por medio de lenguajes novedosos, los famosos "ismos" -Surrealismo, Futurismo, Cubismo, Ultraísmo, Creacionismo, etc.-, en los que alientan el sentido crítico y rupturista, el afán creativo y la estética del maquinismo y del deporte. Entre los primeros vanguardistas, el chileno Vicente Huidobro fundó el Creacionismo, movimiento que aspiraba a liberar la poesía de su sometimiento a la realidad; el argentino Jorge Luis Borges (1899-1986), metafórico y filosófico, se adscribió al Ultraísmo, corriente vanguardista española que propugnaba la libertad de expresión literaria; el peruano César Vallejo (1892-1938) es el poeta de la tensión emocional; el chileno Pablo Neruda (1904-1973),

Las vanguardias y otras corrientes artístico-literarias

Premio Nobel 1971, es modernista, neorromántico, surrealista y expresionista. Gabriela Mistral, chilena, Premio Nobel 1945, poeta del dolor humano, y la uruguaya Juana de Ibarbourou, que cantó a las cosas sencillas, fueron dos grandes líricas tradicionales de la primera mitad de la centuria.

Gabriela Mistral (1889-1957), reflexionó en sus poemas sobre el amor desde múltiples perspectivas.

"El universo (que otros llaman Biblioteca) se compone de un número indefinido, y tal vez infinito, de galerías hexagonales, con vastos pozos de ventilación en el medio, cercado de barandas bajísimas. Desde cualquier hexágono, se ven los pisos inferiores y superiores: interminablemente. [...]

Como todos los hombres de la Biblioteca, he viajado en mi juventud; he peregrinado en busca de un libro, acaso del catálogo de catálogos; ahora que mis ojos casi no pueden descifrar lo que escribo, me preparo a morir a unas pocas leguas del hexágono en que nací. Muerto, no faltarán manos piadosas que me tiren por la baranda; mi sepultura será el aire insondable: mi cuerpo se hundirá largamente y se corromperá y se disolverá en el viento engendrado por la caída, que es infinita".

En *La Biblioteca de Babel* de Jorge Luis Borges.
Cuento perteneciente a *Ficciones*.
Madrid. Alianza Editorial. 1995.

Los pintores hicieron de los paisajes y de los temas costumbristas e indígenas un medio de exaltación localista y de reivindicación social. El surrealismo tomó gran auge entre los artistas plásticos, entre ellos la mexicana Frida Kahlo. El uruguayo Joaquín Torres García creó originales ensamblajes escultóricos en madera. Sin embargo, la modernidad artística no se generalizó en Latinoamérica hasta después de la Segunda Guerra Mundial. La más singular aportación de los artistas plásticos latinoamericanos de la primera mitad del siglo XX fue la de los muralistas mexicanos del realismo social Diego Rivera, José Clemente Orozco y David Alfaro Siqueiros, expresionistas que fusionaron indigenismo y denuncia social. El muralismo sería continuado por el peruano Oswaldo Guayasamín.

Los compositores de la primera mitad de la centuria -Heitor Villa-Lobos, Carlos Chávez, Ernesto Lecuona- combinaron las tradiciones autóctonas con los estilos internacionales.

Las dos Fridas, Frida Kahlo. (2001) © Banco de México. Diego Rivera & Frida Kahlo Museums Trust. Museo de Arte Moderno. México.

Frida Kahlo proyectó sobre sus cuadros su atormentado mundo interior. Las turbulencias de su matrimonio con Diego Rivera, el comunismo y sus propias vivencias inspiraron su obra.

IMÁGENES DE AMÉRICA LATINA

105

La narrativa en la época de las vanguardias

Los novelistas se mantuvieron al margen de las innovaciones vanguardistas, lo que no les impidió alcanzar un alto nivel de calidad. Modernistas fueron el argentino Enrique Larreta y el uruguayo Carlos Rayles, cultivadores de temas españoles y autores respectivamente de *La gloria de Don Ramiro* y de *El embrujo de Sevilla*. El mexicano Mariano Azuela noveló la revolución mexicana: *Los de abajo*. El uruguayo Horacio Quiroga humanizó la naturaleza: *Cuentos de la selva*. El argentino Eduardo Mallea fue novelista existencial: *Todo verdor desaparecerá*. Las novelas del argentino Ricardo Güiraldes son una versión melancólica de las gauchescas de la centuria anterior. El venezolano Rómulo Gallegos interpretó poéticamente la realidad político-social de su país: *Doña Bárbara*. Máxima creación del género indigenista fue la novela *El mundo es ancho y ajeno* del peruano Ciro Alegría (1909-1967).

"Se trata de una historia épica, contada con un lenguaje impresionista y ambientada de manera estrictamente realista: una síntesis americana de Víctor Hugo y de Zola. Las vicisitudes de la comunidad indígena de Rumi y la heroica, vana lucha de Rosendo Maqui por defender las tierras de su pueblo contra el apetito feudal del hacendado Álvaro Amenábar, a quien le amparan las leyes injustas y la fuerza bruta de las armas, constituyen nuestra representación literaria más difundida, el gran fresco narrativo nacional, el equivalente peruano de Los miserables o de los Episodios Nacionales de Galdós.

Novela surgida dentro de una corriente literaria ya difunta -el indigenismo-, El mundo es ancho y ajeno *ha conservado, sin embargo, su plena vigencia testimonial (porque en términos sociales los problemas que describe aún existen)...".*

En "Prólogo" de Mario Vargas Llosa a *El mundo es ancho y ajeno*,
de Ciro Alegría. Madrid. Espasa-Calpe. 1982.

Notables literatos brasileños de la primera mitad del siglo XX fueron Mario de Andrade, modernista: *Macunaíma, el héroe sin ningún carácter*, y J. Guimaraes Rosa, renovador de la prosa: *Grande Sertao: Veredas*. En las generaciones más jóvenes destacan los nombres de Erico Veríssimo y Clarice Lispector, la "Virginia Woolf de las letras brasileñas".

Clarice Lispector reflexiona sobre el lenguaje y los límites de la palabra. La escritora busca un espacio de originalidad en el mundo masculino, rural y desmesurado de Brasil.

"Hoy, pienso yo, sabe usted: me parece que el sentir de uno da vueltas, pero de cierto modo, rodando en sí pero con reglas. ¿El mucho placer se vuelve miedo, el miedo va y se vuelve odio, el odio se vuelve esas desesperaciones? La desesperación es bueno que se vuelva mayor tristeza, consonante entonces para el un amor -cuánta añoranza...-; entonces, ya viene otra esperanza... Pero la brasita de todo es tan sólo el mismo carbón solo. Invención mía, que saco a tientas. Ah, lo que yo apreciaba tener es esa instrucción de usted, que ofrece rumbo para estudiar materias de éstas...".

En *Gran Sertón: Veredas*, de João Guimarães
Rosa. Madrid. Alianza Editorial. 1999.

El pensamiento postpositivista

Los pensadores de la primera mitad del siglo XX sustituyeron el positivismo y el materialismo por el idealismo. Se inspiraron en la fenomenología del alemán Edmundo Husserl, que consideraba las vivencias de la conciencia como la verdadera realidad. Antipositivista notable fue el argentino Alejandro Korn, importante pensador de la primera mitad del siglo XX.

El pensamiento postpositivista

Entre las corrientes del pensamiento, el marxismo alcanzó gran difusión en todo el continente latinoamericano. Relevantes pensadores marxistas fueron, por ejemplo, los peruanos José Carlos Mariátegui, fundador del Partido Socialista Peruano, y Víctor Raúl Haya de la Torre, fundador de la Alianza Popular Revolucionaria Americana (APRA) y autor de trabajos como *Por la emancipación de América Latina*. Gran difusión tuvieron también el estructuralismo, el existencialismo y el pensamiento del español José Ortega y Gasset, que superó la tradicional oposición entre realismo e idealismo.

> *"La historia de las relaciones políticas y económicas entre América Latina y los Estados Unidos, especialmente la experiencia de la Revolución Mexicana, nos lleva a las siguientes conclusiones:*
>
> *1° Las clases gobernantes de los países latinoamericanos, grandes terratenientes, grandes comerciantes y la burguesía, son aliadas del imperialismo.*
> *2° Esas clases tienen en sus manos el gobierno de nuestros países a cambio de una política de concesiones que los latifundistas, burgueses, grandes comerciantes y los grupos o caudillos políticos de esas clases negocian o participan con el imperialismo.*
> *3° Como resultado de esta alianza de clase, las riquezas naturales de nuestros países son hipotecadas o vendidas, la política financiera de nuestros gobiernos se reduce a una loca sucesión de grandes empréstitos y nuestras clases trabajadoras, que tienen que producir para los amos, son brutalmente explotadas".*
>
> Víctor Haya de la Torre, *¿Qué es el APRA?*, (1926).

El cine hasta los años cincuenta

El cine latinoamericano adquirió cierto relieve tras la introducción del sonido, sobre todo en Argentina, México y Brasil. En esa etapa inicial se realizaron en Argentina dramas rurales y de carácter social y algunas comedias. La película *La guerra gaucha*, de comienzos de los cuarenta, de Lucas Delamare, fue la primera en cultivar la temática nacional. Las creaciones más logradas de los cincuenta fueron los dramas rurales y sociales de Hugo del Carril: *Surcos de sangre*; las películas intelectuales de Leopoldo Torres Nilsson: *Días de odio*, y las vanguardistas de Fernando Ayala: *El jefe*.

Los cineastas brasileños acusaron la influencia de las vanguardias europeas, especialmente Mario Peixoto, director de *Límite* (1930). En la década de los cuarenta alcanzaron popularidad los géneros folklórico y rural, y, en los cincuenta, el vanguardista Alberto Calvacanti trató de crear "un cine brasileño para brasileños". Esta tendencia culminó con el neorrealismo, que fue introducido en el continente por el mexicano Emilio Fernández. Neorrealista fue Lima Barreto, realizador de *O Cangaçeiro* (1953), un clásico del género.

El cine mexicano experimentó un gran dinamismo en la década de los treinta con películas sobre la Revolución: *El compadre Mendoza* (1935), de Fernando de Fuentes; con las comedias "rancheras": *Allá en el Rancho Grande* (1936), del mismo realizador, y con las de asunto indigenista: *Janitzio* (1943), de Carlos Navarro. Emilio Fernández, el introductor del neorrealismo, dirigió en 1943 *María Candelaria*, que tuvo muchos imitadores. Los neorrealistas trataron de hacer del cine un instrumento de cultura, de concienciación social y de lucha contra el imperialismo.

Emilio Fernández a su regreso a México tras el exilio dirigió melodramas con una fuerte carga social como Pueblerina.

La evolución política desde la Guerra Fría

Pozos de petróleo en Venezuela.
La riqueza petrolífera de muchos países de América Latina
constituye un importante recurso económico.

El fracaso de los populismos militaristas y el triunfo de las democracias en la Segunda Guerra Mundial marcaron el comienzo del auge de la democracia cristiana en América Latina. Sin embargo, los militares, fieles a su tradición, continuaron protagonizando golpes de fuerza e imponiendo dictaduras, a la vez que en varios países surgían guerrillas marxistas contra el imperialismo y contra el orden liberal-burgués. El éxito de la revolución castrista en Cuba y el temor a la extensión del comunismo concentraron el interés de los Estados Unidos en Latinoamérica.

Las crisis económicas internacionales de los años setenta, ochenta y noventa resultaron nefastas para Latinoamérica. Las exportaciones se redujeron, los déficits públicos y la inflación alcanzaron índices muy altos y la deuda externa se disparó. A los problemas económicos se respondió con medidas restrictivas de alto coste social y con la creación de bloques de integración económica regional.

La evolución política hasta los años setenta

El mexicano Manuel Ávila Camacho refundó (1946) el Partido Nacional de la Revolución (PNR) y le dio el nuevo nombre de Partido Revolucionario Institucional (PRI), que se ha mantenido ininterrumpidamente en el poder hasta nuestros días. En 1958 accedió a la presidencia Adolfo López Mateos, promotor de la nacionalización de la economía. El crecimiento demográfico y del paro y la corrupción política sirvieron de caldo de cultivo a la contestación social. En 1968 se reprimió con gran violencia la revuelta estudiantil en la Plaza de las Tres Culturas de la ciudad de México, lo que tuvo un amplio eco en la prensa internacional.

Ciudad universitaria de México D. F.

Las revueltas estudiantiles de octubre de 1968 partieron de la universidad de la capital mexicana. La represión del ejército contra los estudiantes concentrados en la Plaza de las Tres Culturas tuvo una gran repercusión internacional.

En Colombia, los cuarenta y los cincuenta fueron años de disputas entre liberales y conservadores, que en 1953 firmaron en Sitges (España) un acuerdo de alternancia pacífica en el poder. El pacto terminó en 1971. A partir de ese año surgieron grupos guerrilleros contra la política antisindical de los conservadores. Algunos de estos grupos continúan en nuestros días desestabilizando la paz social y la política colombiana.

Rómulo Gallegos, presidente de Venezuela desde 1948, fomentó el desarrollo industrial, nacionalizó los sectores básicos de la economía y reformó el sistema fiscal. Los militares reaccionarios le destituyeron con la ayuda de las compañías petroleras. Con Rómulo Betancourt, ganador en las elecciones de 1958, dio comienzo una etapa de relativa estabilidad política y crecimiento económico.

La democracia cristiana se erigió en una importante fuerza política en Chile a finales de los cincuenta. Eduardo Frei, presidente desde 1965, puso en práctica un plan de reforma agraria y nacionalizó el cobre, por lo que el capital internacional le retiró el crédito. La democracia cristiana perdió apoyos electorales y en 1970 resultó elegido el candidato socialista Salvador Allende.

En Bolivia, el grupo Movimiento Nacionalista Revolucionario (MNR) organizó una revuelta en 1952 que acabó con el régimen militar. El presidente Víctor Paz Estensoro nacionalizó el cobre, puso en práctica una reforma agraria y reconoció el sufragio universal. Bolivia, sin embargo, continuó formando parte del grupo de países más pobres del continente.

Un triunvirato militar se hizo con el poder en Argentina en 1966 y estableció un régimen de terror, que fue combatido por el grupo clandestino de los Montoneros. Perón regresó de su exilio en España y en 1973 ganó las elecciones presidenciales con un 62% de votos favorables. La muerte le apartó del poder en esta segunda etapa presidencial ocho meses después de su elección. Le sucedió su viuda María Estela Martínez, que no dio respuesta a las demandas sociales ni pudo evitar la acción de los grupos guerrilleros y de la Triple A, organización paramilitar de extrema derecha. Un golpe de Estado la derribó en 1976 y los militares se hicieron de nuevo con el poder.

La salida de Rómulo Gallegos del poder en 1948 frustró la posibilidad de contar con un hombre de gran altura intelectual al frente del país.

IMÁGENES DE AMÉRICA LATINA

109

La evolución política hasta los años setenta

En Uruguay se instauró el totalitarismo en los años cuarenta, y en los cincuenta se intentó aplicar un populismo de inspiración peronista. A comienzos de los sesenta se declaró una grave crisis cuya peor consecuencia fue la aparición de la guerrilla de los Tupamaros. En Brasil, el golpe de Estado de 1964 elevó a los militares al poder, que lo ocuparon durante dos décadas y pusieron término a la política reformista.

En 1952, la Asamblea puertorriqueña proclamó a Puerto Rico Estado Libre Asociado. Los puertorriqueños se escindieron entre partidarios de mantener el estatuto de asociación libre y partidarios de la plena incorporación a los Estados Unidos. Aquellos estaban integrados en el Partido Popular Democrático (PDP) y estos en el Partido Nuevo Progresista (PNP). La política puertorriqueña ha estado marcada desde entonces por la alternancia en el poder de ambas fuerzas políticas.

El militarismo no terminó en la República Dominicana con el fin de la corrupta dictadura de Rafael Leónidas Trujillo en 1961, que ha sido espléndidamente novelada por Mario Vargas Llosa: *La fiesta del Chivo*. Una junta militar se hizo con el poder tras el asesinato del dictador, provocando así una guerra civil que se saldó con la toma del control de la situación por los norteamericanos, que consideraban a la isla de vital importancia para su presencia en la zona.

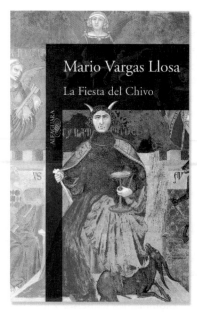

La novela de Vargas Llosa culmina el ciclo narrativo de las llamadas "novelas del dictador". Su retrato de la dictadura de Trujillo es una exploración en los límites de la crueldad humana.

Las consecuencias de la guerra fría en Latinoamérica

La "guerra fría" centró la atención de Estados Unidos en Latinoamérica. Los norteamericanos temían la extensión del comunismo en el subcontinente, como sucedió en el caso de Cuba. Este hecho les movió a apoyar el desarrollo económico, a incrementar las ayudas económicas y a asumir la defensa de las libertades y de los derechos humanos. Sin embargo, no dudaron en apoyar también a las dictaduras y a los movimientos contrarrevolucionarios: en 1946 fundaron en la Zona del Canal de Panamá lo que luego se llamaría Escuela de las Américas, centro de formación de militares especialistas en la guerra antisubversiva.

En 1948 se fundó la Organización de Estados Americanos (OEA) con el fin de defender la democracia y de promover la reforma social y la cooperación entre los estados. La Comisión Económica para América Latina y el Caribe (CEPAL), creada ese mismo año de 1948 en el seno de las Naciones Unidas, se propuso desarrollar la industria, incrementar los intercambios comerciales y promover la integración económica, lo que dio origen a un intenso movimiento asociativo: Asociación Latinoamericana de Libre Comercio (ALALC) (1960), que fue sustituida en 1980 por la Asociación Latinoamericana de Integración (ALADI), Mercado Común Centroamericano (MCCA) (1960), Pacto Andino (1969), Sistema Económico Latinoamericano (1975).

Cuba y la Revolución castrista

A fin de <u>derribar</u> el régimen de Batista y de <u>acabar</u> con el control de Cuba por los norteamericanos, un grupo de insurgentes dirigidos por Fidel Castro asaltó el cuartel de Moncada, en la ciudad de Santiago, el 26 de julio de 1953. Castro fue condenado a quince años de cárcel e <u>indultado</u> dos años después. Se instaló en México, donde

Cuba y la Revolución castrista

conoció a Ernesto "Che" Guevara, anarquista romántico que se convertiría en el ídolo de la progresía juvenil internacional. Castro desembarcó en 1955 en la costa de la provincia cubana de Oriente al frente de un pequeño grupo de guerrilleros, se trasladó a Sierra Maestra y dio comienzo a una eficaz actividad guerrillera. El apoyo creciente de la población le dio el triunfo sobre las fuerzas de Batista: el 8 de enero de 1959 entró victorioso en La Habana. Poco después proclamó la República socialista y los Estados Unidos rompieron en 1961 las relaciones diplomáticas con Cuba.

Castro transformó radicalmente la organización del Estado y de la sociedad cubanos. Estableció un régimen autocrático, sustituyó la economía de mercado por la planificada y llevó a cabo una reforma agraria. Los Estados Unidos le impusieron un embargo económico. Muchos anticastristas se exiliaron y algunos protagonizaron intentos de invasión de la isla, como el fallido de la Bahía de los Cochinos en 1961. El régimen castrista tuvo, al principio, muchos simpatizantes entre los intelectuales latinoamericanos. La radicalización del sistema los dividió entre castristas y anticastristas, labrándose así entre ellos una fisura que todavía no se ha cerrado.

"Nuestra historia es una historia de traiciones, alzamientos, deserciones, conspiraciones, motines, golpes de estado; todo dominado por la infinita ambición, por la desesperación, la soberbia y la envidia. Hasta Cristóbal Colón, ya en el tercer viaje después de haber descubierto toda la América, regresa a España encadenado. Dos actitudes, dos personalidades parecen estar siempre en contienda en nuestra historia: la de los incesantes rebeldes amantes de la libertad y, por tanto, de la creación y el experimento; y la de los oportunistas y demagogos, amantes de siempre del poder y, por lo tanto, practicantes del dogma y del crimen y de las ambiciones más mezquinas. Estas actitudes se han repetido a lo largo del tiempo: el general Tacón contra Heredia, Martínez Campos contra José Martí, Fidel Castro contra Lezama Lima o Virgilio Piñeira; siempre la misma retórica, siempre los mismos discursos, siempre el estruendo militar asfixiando el ritmo de la poesía o de la vida".

En *Antes que anochezca*, de Reinaldo Arenas.

La revolución cubana de 1959, conducida por Fidel Castro y Ernesto "Che" Guevara, ha tenido en la propaganda uno de los instrumentos más eficaces para sostenerse en el poder.

La extensión de la guerrilla al continente y el apoyo de Castro a los movimientos revolucionarios africanos crearon inquietud en Washington, que consiguió la exclusión de Cuba de la Organización de Estados Americanos en 1962. Castro se vinculó entonces estrechamente a la URSS e instaló misiles nucleares en la isla. La desaparición de la Unión Soviética y del bloque comunista dejó aislado al régimen cubano política y económicamente. A la crisis económica se unieron la creciente agitación social en el interior, la presión internacional a favor de la democratización de la isla y la intensificación del cerco comercial y económico con las leyes norteamericanas Torricelli (1992) y Helms-Burton (1996).

El castrismo ha conseguido algunas mejoras sociales, sobre todo en las áreas de la educación y de la medicina. Sin embargo, a causa del embargo comercial, de los fallos del sistema, de su inadecuación a las circunstancias internacionales, de su aislamiento y de la singular concepción castrista de los derechos humanos, Cuba está desabastecida, empobrecida y privada de libertades.

La extensión al continente de la guerrilla castrista

Ernesto "Che" Guevara intentó exportar al continente la revolución castrista, pero, falto de apoyos populares, su experiencia fracasó en los Andes bolivianos y terminó con su muerte en 1967. La guerrilla castrista sirvió de ejemplo a numerosos grupos marxistas-leninistas, algunos de dilatada tradición y otros de reciente creación: Frente Sandinista de Liberación Nacional (Nicaragua), Movimiento Revolucionario Túpac Amaru (Uruguay), Montoneros (Argentina), Frente Farabundo Martí de Liberación Nacional (El Salvador), Sendero Luminoso (Perú), Fuerzas Armadas Revolucionarias de Colombia (FARC), Ejército de Liberación Nacional de Colombia (ELN), Ejército de Liberación Nacional (ELN) y Movimiento de Izquierda Revolucionaria (MIR) del Perú, Fuerzas Armadas Rebeldes (Guatemala), Movimiento 14 de Junio (República Dominicana), Movimiento Francisco Morazán (Honduras), Ejército Revolucionario del Pueblo (Argentina). Estos movimientos no lograron atraerse el apoyo de la gran masa de la población, por lo que tuvieron una efímera existencia. Algunos, sin embargo, continúan aún activos a comienzos del siglo XXI, entre ellos los colombianos FARC y FLN.

Las revoluciones centroamericanas

El subdesarrollo socioeconómico y los abusos de poder en la mayoría de las repúblicas centroamericanas fueron el caldo de cultivo de varios movimientos guerrilleros y contraguerrilleros que han mantenido la zona en estado de permanente guerra civil.

Movimientos revolucionarios como el Frente Sandinista y el Frente Farabundo Martí apuestan por la democracia sin el recurso a la violencia.

Contra la represión ejercida por la familia Somoza en Nicaragua desde los años treinta se levantó el Frente Sandinista de Liberación Nacional (FSLN) -el nombre procedía del dirigente campesino, César Augusto Sandino, asesinado en 1934-, que en 1979 logró expulsar al presidente Anastasio Somoza Debayle y hacerse con el poder. Las fuerzas reaccionarias financiaron la contraguerrilla antisandinista e impusieron un bloqueo comercial. El presidente sandinista Daniel Ortega perdió las elecciones de 1990 frente a la candidata de la Unión Nacional Opositora (UNO), la neoliberal Violeta Chamorro. En 1997 asumió el poder Arnoldo Alemán, candidato del partido derechista Alianza Liberal.

En El Salvador, la degradación de las condiciones de vida de los trabajadores fue la causa de la rebelión campesina del Ejército Rojo Salvadoreño (1932) del comunista Agustín Farabundo Martí. El movimiento fue duramente reprimido, su jefe ejecutado y la población india perseguida. Los militares controlaron la situación durante décadas, e impusieron su candidato en las elecciones de 1972 al ganador de las mismas, el demócrata cristiano José Napoleón Duarte. La actividad represora de los militares y la terrorista de los grupos paramilitares, los escuadrones de la muerte, crearon una situación de extrema violencia. La Iglesia se puso al lado de los oprimidos y fue también víctima de los ataques de la reacción: en 1980 fue asesinado Óscar Arnulfo Romero, arzobispo de San Salvador. Tras la victoria electoral (1989) de la ultraderechista Alianza Republicana Nacionalista (ARENA), los guerrilleros del Frente Farabundo Martí atacaron la capital y los paramilitares asesinaron a seis jesuitas, entre ellos el español Ignacio Ellacuría, rector de la Universidad Centroamericana. En 1992 se pactó con los guerrilleros la entrega de las armas y en 1993 se concedió una amnistía. A pesar de la paz, las circunstancias que dieron origen a la guerra civil aún seguían presentes a finales de los noventa. A finales de 2000, el presidente Francisco Flores se mostraba confiado en culminar el proceso de paz.

En Guatemala, las reformas agraria y fiscal de comienzos de los cincuenta fueron consideradas una amenaza para sus intereses por la United Fruit, que apoyó la invasión del país por un grupo de militares disidentes que instauraron un régimen totalitario. La década de los ochenta tuvo un trágico comienzo: un grupo de indios ocupó la Embajada de España (31 de enero de 1980), que fue atacada e incendiada por las fuerzas de seguridad,

Las revoluciones centroamericanas

acto de terrorismo de Estado que costó la vida a 37 personas y a punto estuvo de terminar con la del propio Embajador. La violencia se incrementó durante la presidencia del general Efraín Ríos Montt, que aplicó una política de exterminio de los indígenas. Tras el triunfo de la socialdemocracia en las elecciones presidenciales de 1985, los militares continuaron conspirando y dirigiendo golpes de Estado. Sin embargo, en 1990 pudieron dar comienzo las conversaciones de paz con la Unión Revolucionaria Nacional Guatemalteca (URNG), que culminaron en 1997 con la entrega de las armas por 3.500 guerrilleros. Alfonso Portillo, candidato del derechista Frente Republicano Guatemalteco (FRG), se alzó con el triunfo en las elecciones presidenciales de 1999. El nuevo presidente asumió la tarea de restañar las heridas de una guerra civil que había durado 35 años y causado 200.000 víctimas, así como la de poner término al empobrecimiento creciente de la población. Rigoberta Menchú está llevando a cabo una loable lucha pacífica por el reconocimiento de los derechos de las comunidades indígenas.

La reducción de la ayuda americana, las crisis económicas de finales del siglo XX y su implicación en los conflictos de la zona han situado a Honduras en una difícil situación. El liberal Carlos Flores, presidente desde 1997, se encontró con una de las economías más deprimidas de Latinoamérica. En Costa Rica, el país de mayor desarrollo económico y estabilidad política de la región, se sucedieron, en los años treinta y cuarenta, gobiernos progresistas ejecutores de una política de alto contenido social. Los gobiernos socialdemócratas continuaron las reformas, mantuvieron la neutralidad del país en los conflictos centroamericanos y contribuyeron a la pacificación de la zona, singularmente el presidente Óscar Arias, a quien en 1987 le fue concedido el Premio Nobel de la Paz. Miguel Ángel Rodríguez, presidente desde 1998, aspira a fusionar socialdemocracia y neoliberalismo.

La Teología de la Liberación

La ideología revolucionaria germinó también entre los católicos. Las formulaciones más radicales han procedido de los llamados teólogos de la liberación, creadores de un pensamiento teológico-ideológico que fusiona catolicismo y marxismo. Se trata de un catolicismo izquierdista que apela a la responsabilidad de los católicos y aspira a redimir a las clases oprimidas y a establecer una sociedad más justa e igualitaria. Algunos teóricos de la liberación propugnaron la lucha armada como recurso último contra la pobreza y las injusticias y la creación de una Iglesia popular. Entre los promotores del movimiento, el sacerdote peruano Gustavo Gutiérrez denunció -*Teología de la Liberación: perspectivas; Praxis de la liberación y fe cristiana*, etc.- la explotación de los pobres y definió los objetivos fundamentales del movimiento: la liberación de los marginados y explotados, la desaparición de la sociedad de clases y la puesta en práctica del mensaje evangélico. Destacada personalidad del movimiento fue el religioso y poeta nicaragüense Ernesto Cardenal, que desempeñó un importante papel en la revolución sandinista y, posteriormente, como ministro de Cultura. Muchos teólogos se han manifestado más a favor del diálogo que de la violencia, entre ellos los españoles Martín Baró, analista del movimiento -*Psicología de la liberación*-, e Ignacio Ellacuría, autor de *Mysterium liberationis. Conceptos fundamentales de la teología de la liberación*. Para el franciscano brasileño Leonardo Boff, autor de *Teología del cautiverio y de la liberación*, *Caminhos da Igreja com os oprimidos*, e *Iglesia, carisma y poder*, la Iglesia "tiene que crecer para ser contemporánea, especialmente en sus métodos de relación con la diversidad de opiniones y de culturas, como las negras y las indígenas, que no son culturas cartesianas, europeas". Boff postula la implantación del reino de Dios y lleva a cabo una intensa labor de concienciación de los cristianos respecto al problema de las clases oprimidas. Los teólogos de la liberación desempeñan una importante labor social a través de las "comunidades eclesiales de base".

Algunos teólogos de la liberación y la jerarquía eclesiástica se muestran contrarios al uso de la violencia, a la vez que manifiestan su preocupación por las injusticias sociales. La mayoría de los católicos ha tomado posturas más reformistas que revolucionarias y rechaza la lucha armada como motor del cambio social.

"El evangelio está más a favor de los medios pacíficos que de los violentos, más a favor de la paz que de la guerra, más del servicio que de la dominación, más del amor que del enfrentamiento".

Ignacio Ellacuría.

La América Latina contemporánea

Imágenes de América Latina

La mano, Fernando Botero. Plaza de San Juan de la Cruz. Madrid.

El colombiano Fernando Botero es creador de voluminosas esculturas figurativas.

La democracia, al menos en sus aspectos formales y vigilada por los militares en muchos casos, se halla instalada en todos los países latinoamericanos, excepto en Cuba; casi todos los grupos guerrilleros han sido neutralizados, algunas economías comienzan a recuperarse de las crisis y de las turbulencias financieras de finales del siglo XX, y los gobernantes apuestan por el neoliberalismo y por la creación de espacios de libre comercio como vías hacia el desarrollo.

IMÁGENES DE AMÉRICA LATINA

Las crisis económicas y la integración regional

Como la crisis internacional de los años treinta, la del petróleo de los setenta tuvo también nefastas consecuencias para las economías latinoamericanas. Hubo que devaluar numerosas monedas, reducir las inversiones públicas y aumentar el proteccionismo arancelario, creándose así situaciones autárquicas que condujeron al descalabro de los años ochenta, la "década perdida", de regresión económica en toda Latinoamérica. Todos los países sufrieron una inflación galopante y un fuerte endeudamiento. Para evitar la bancarrota, hubo que recurrir a los préstamos del Fondo Monetario Internacional y del Banco Mundial. Los acuerdos tomados a fin de reducir la deuda externa tuvieron diferentes resultados: el plan Baker (1985), que fracasó, mantuvo los créditos y aplazó los reembolsos; el Brady (1989) condonó parte de la deuda y estableció tratamientos específicos para cada país, lo que alivió la situación de algunas economías.

A fin de fortalecer su posición en un mercado mundial cada vez más competitivo, los gobiernos latinoamericanos optaron por la integración económica y la creación de zonas de libre comercio, continuando así la tendencia que había dado comienzo en los años sesenta. En 1987, el Grupo de Río se pronunció a favor "Declaración de Acapulco"- de la creación de bloques regionales de libre comercio y de la firma de acuerdos con los países desarrollados, lo que se llevó a efecto en la década de los noventa: los presidentes de Venezuela, Ecuador, Perú y Bolivia decidieron transformar el Pacto Andino en un mercado común; México y Chile acordaron eliminar las barreras aduaneras antes de 1998; México, Colombia y Venezuela formaron una asociación de libre cambio; los países centroamericanos fundaron el Sistema de Integración Centroamericana; Brasil, Uruguay, Paraguay y Argentina se integraron (1991) en el Mercado Común del Cono Sur (Mercosur), al que en 1996 se asociaron Chile y Bolivia; México, Estados Unidos y Canadá firmaron el Tratado de Libre Comercio (1992).

A finales de la década de los noventa, el aumento de las inversiones extranjeras, la política de austeridad, las medidas antiinflacionistas y la liberalización de los mercados aliviaron la crisis económica en algunos países, que pudieron así hacer frente, con éxito desigual, a las turbulencias de los mercados financieros internacionales.

Los jefes de Estado y de Gobierno asistentes a la III Cumbre de las Américas (Quebec, 2001) dieron su acuerdo al proyecto de creación de un mercado común continental, el llamado ALCA (Área de Libre Comercio de las Américas), que se prevé poner en marcha antes de 2005 y del que sólo quedarán excluidos los países no democráticos. El ALCA constituirá la mayor zona de mercado libre del planeta: 800 millones de personas y 20% del comercio mundial. Su creación es promovida por los EE UU. Las actitudes ante el mismo oscilan entre las reservas expresadas por los brasileños y el entusiasmo manifestado por Chile.

A fin de mitigar la pobreza de la región y evitar la inmigración clandestina a los EE UU, México y los países centroamericanos se disponen a crear "Plan Puebla-Panamá"- un espacio común de desarrollo que contempla la construcción de grandes vías de comunicación, el desarrollo del turismo y la creación de puestos de trabajo.

TASAS DE INFLACIÓN (1987-1997)

PAÍS	1987	1997
ARGENTINA	178,3	-0,1
BOLIVIA	10,5	3,8
BRASIL	337,9	4,1
CHILE	22,9	6,3
COLOMBIA	24,7	17,9
COSTA RICA	13,6	11,5
ECUADOR	30,6	29,9
EL SALVADOR	21,2	2,2
GUATEMALA	8,5	9,0
HONDURAS	1,8	15,0
MÉXICO	143,6	17,6
NICARAGUA	1.225,7	8,6
PANAMÁ	1,0	1,8
PARAGUAY	23,5	5,4
PERÚ	104,8	7,1
URUGUAY	59,9	15,7
VENEZUELA	36,1	38,2

Fuente: CEPAL.

Argentina desde la guerra de las Malvinas

La ~~fracasada~~ [failure] ocupación de las islas Malvinas (1982), bajo soberanía de Inglaterra desde 1833, desprestigió a los militares y a los políticos y forzó la convocatoria de elecciones generales, que fueron ganadas en 1983 por Raúl Alfonsín, de la Unión Cívica Radical. La economía estaba bajo mínimos y las protestas de las madres de la Plaza de Mayo mantenían la atención nacional e internacional sobre la suerte de los secuestrados por las juntas militares.

El peronismo regresó con Carlos Menem, candidato del Partido Justicialista, vencedor en las elecciones de 1989 y de 1995. Menem combinó autoritarismo político con

La metrópoli de Buenos Aires soporta buena parte de toda la actividad económica que se desarrolla en Argentina. Más de la cuarta parte de la población vive en la ciudad.

neoliberalismo económico. Argentina comenzó así a superar la grave crisis económica heredada de los años ochenta. En octubre de 1999 ganó las elecciones presidenciales Fernando de la Rúa, candidato de los radicales y del centro izquierda. A fin de estabilizar las finanzas -la deuda exterior de Argentina equivale al 50% de su PIB- y de conseguir [got] la ayuda del Fondo Monetario Internacional, el nuevo presidente ha tenido que aplicar duras medidas de ajuste económico que han provocado una intensa oposición por parte de los sindicatos. El país sufre una grave crisis económica a comienzos del siglo XXI.

La lenta recuperación de la democracia en Chile

Salvador Allende se encontró un panorama social dominado por las huelgas, el terrorismo, la agitación promovida por la CIA y la oposición del Congreso, del Senado y de extensos sectores de las clases medias conservadoras. La Confederación de Camioneros [truck drivers] decretó [decreed] en 1972 un paro [stop] general que dejó desabastecidos los mercados de productos de primera necesidad. Estas circunstancias propiciaron el golpe militar del general Augusto Pinochet el 11 de septiembre de 1973.

Tras [After] la muerte de Allende en el Palacio de la Moneda, que fue bombardeado por los golpistas, estos se hicieron con el poder y crearon una Junta militar, presidida por el general Augusto Pinochet, que instauró [founded] un régimen totalitario. Los militares abolieron la legislación progresista y reformista, llevaron a cabo una terrible acción represora por medio del Ejército y de la temible [fearsome] policía del régimen, la DINA, que causó numerosas víctimas, entre asesinados, desaparecidos, torturados y exiliados, y pusieron en práctica un programa económico neoliberal que tuvo un alto coste social. En 1980 se aprobó [approved] por referéndum la Constitución, que permitía al dictador prorrogar [extend] su mandato hasta 1989, pero los votos le negaron esa posibilidad en 1988. La

Estatua de Salvador Allende.

El golpe de estado de 1973 dividió a los chilenos entre partidarios de Allende y de los militares.

La lenta recuperación de la democracia en Chile

pérdida progresiva de apoyos sociales movió a Pinochet a permitir la celebración de elecciones, que fueron ganadas en 1989 por Patricio Aylwin, candidato de la coalición de partidos opositores. Previamente, el dictador había promulgado una ley de amnistía que protegía a los implicados en la represión contra futuras acciones de la Justicia, que efectivamente fueron entorpecidas por Pinochet como jefe de las Fuerzas Armadas y como senador vitalicio.

Las elecciones de diciembre de 1992 dieron el triunfo a Eduardo Frei, candidato demócrata-cristiano que continuó la política económica neoliberal y logró superar la crisis desencadenada en los años ochenta. En enero de 2000, mientras el general Pinochet permanecía retenido en Inglaterra, a la espera de la decisión de las autoridades sobre la extradición solicitada por la Justicia española, el candidato de la Concertación de Partidos por la Democracia, el socialista Ricardo Lagos, ganó las elecciones presidenciales con unos 200.000 votos más que el candidato de la derecha.

"Trabajadores de mi patria, tengo fe en Chile y en su destino. Superarán otros hombres este momento gris y amargo en el que la traición pretende imponerse. Sigan ustedes sabiendo que, mucho más temprano que tarde, de nuevo se abrirán las grandes alamedas por donde pase el hombre libre, para construir una sociedad mejor.
¡Viva Chile! ¡Viva el pueblo! ¡Vivan los trabajadores!
Éstas son mis últimas palabras y tengo la certeza de que mi sacrificio no será en vano, tengo la certeza de que, por lo menos, será una lección de moral que castigará la felonía, la cobardía y la traición".

De *"Las últimas palabras de Salvador Allende"*, transmitidas por radio al pueblo chileno el 11 de septiembre de 1973, cuando se estaba produciendo el ataque de los golpistas al Palacio de la Moneda.

Tres son los retos a los que se enfrentan los chilenos a comienzos del siglo XXI: el sometimiento definitivo del poder militar al civil, la pacificación de una sociedad escindida entre partidarios de Pinochet y los que piden justicia por los crímenes cometidos durante su mandato -en diciembre de 2000, el juez Juan Guzmán Tapia decidió procesar a Pinochet por el secuestro y asesinato de 72 personas -, y el mantenimiento del crecimiento de la economía, la más próspera de Latinoamérica. Ricardo Lagos se manifiesta a favor de celebrar un referéndum para reformar la Constitución otorgada en 1980 por Pinochet.

Uruguay y Paraguay, de la dictadura a la democracia

Juan Bordaberry, presidente desde 1971, encomendó al ejército el mantenimiento del orden y la represión del movimiento tupamaro, que fue neutralizado, pero a costa de la implantación de la dictadura. El desgaste del régimen militar impulsó el restablecimiento de las libertades, que fue acordado en 1984 por el Gobierno y la oposición, aunque bajo la vigilancia de los militares. Julio María Sanguinetti, del Partido Colorado, ganó las elecciones en ese mismo año, y las volvió a ganar en 1994, tras la presidencia de Luis Alberto Lacalle, del

Partido Blanco, que gobernó con un gobierno de coalición. Con el apoyo de los progresistas, el conservador Jorge Batlle se alzó con el triunfo en las elecciones de noviembre de 1999 frente al candidato de la coalición de izquierdas. Batlle prometió gobernar con austeridad y continuar la apertura a los mercados exteriores.

El paraguayo Stroessner se sirvió del fraude electoral para ser elegido ocho veces presidente, la última vez en 1988. Sin embargo, Paraguay no fue una excepción en el proceso de recuperación de las libertades por los pueblos latinoamericanos. En 1989, el

Puerto de Asunción.

Paraguay se esfuerza por conseguir la estabilidad política y económica.

Uruguay y Paraguay, de la dictadura a la democracia

general Andrés Rodríguez expulsó del poder al dictador y se alzó con el triunfo en las elecciones presidenciales. En 1992 se promulgó una Constitución democrática y, en 1993, Juan Carlos Wasmossy fue elegido presidente en las primeras elecciones libres de la historia del país. Paraguay se convirtió así en una democracia, aunque vigilada por los militares, que aún en 1996 volvieron a intentar un nuevo golpe. En las elecciones de mayo de 1998 resultó vencedor el conservador Raúl Cubas, que al año siguiente fue acusado del asesinato del vicepresidente, por lo que tuvo que abandonar el cargo, siendo sustituido por Luis González Macchi, que formó un Gobierno de coalición.

"El presidente superó los conflictos, pero los cuatro millones de paraguayos siguen viviendo en la inestabilidad política y económica. "El Gobierno se debilita poco a poco y permanece inactivo en la reforma del Estado", critica el economista Carlos Arbía, de la consultoría Ex Ante.

González Macchi presidía el Senado hasta que el asesinato del vicepresidente Luis María Argaña, el 23 de marzo de 1999, desencadenó la renuncia del presidente Raúl Cubas, acusado del crimen junto con Oviedo. Fue una lucha dentro del eterno gobernante Partido Colorado. González Macchi asumió entonces la jefatura de un Gobierno de coalición con los partidos opositores. Y ha cumplido un año en el cargo.

La economía no ha ido mejor. El PIB cayó 1,2%, según Ex Ante, por la recesión de Argentina y el estancamiento de Brasil, socios en el Mercosur".

En "Paraguay pacta con los campesinos", de Alejandro Rebossio. El País /Negocios.
Número 752. 2 de abril de 2000.

Brasil aspira a situarse entre los países desarrollados

La elección del presidente Tancredo Neves en 1985 significó la recuperación del poder por los civiles. El nuevo mandatario puso en marcha el proceso de democratización que culminó con la promulgación de la Constitución de 1988. La transición hacia la democracia se vio ensombrecida por la crisis económica: a finales de la década de los ochenta, la deuda externa del Brasil era la más alta de los países en vías de desarrollo.

La promesa de Fernando Collor de Melo de situar al Brasil entre los países desarrollados caló profundamente entre los electores, que le otorgaron su confianza en las elecciones de 1990. Obtuvo del Fondo Monetario Internacional y de los acreedores una reducción del 15% de la deuda externa, pero no logró detener la inflación ni la reducción del PIB. Le sucedió Itamar Franco en 1992, que puso orden en las finanzas públicas y estabilizó los precios. Fernando Henrique Cardoso, elegido presidente en 1994 y 1998, se comprometió a mantener el crecimiento y a distribuir equitativamente los beneficios de la riqueza. Brasil es el más ferviente defensor de la integración económica suramericana frente a los defensores del Área de Libre Comercio de las Américas (ALCA).

El afán desarrollista y el espíritu lúdico dan carácter a la población carioca de nuestros días.

IMÁGENES DE AMÉRICA LATINA

El fin de la "chinocracia" peruana

Tras una difícil etapa de huelgas y motines a mediados de los setenta, en 1979 se promulgó una nueva Constitución que restableció la democracia. Belaúnde Terry ganó las elecciones de 1980 y aplicó un programa conservador reformista. En ese mismo año hizo su aparición el grupo guerrillero Sendero Luminoso, que sembró el terror en el país. La degradada situación social facilitó la elección del candidato aprista Alán García en las elecciones de 1985. El nuevo presidente hizo caso omiso de las recomendaciones del Fondo Monetario Internacional y nacionalizó la banca, provocando así una fuerte huida de capitales y la pérdida del crédito internacional.

En las elecciones de 1990 rivalizaron por la presidencia el gran novelista y político neoliberal Mario Vargas Llosa y el ingeniero de origen japonés Alberto Fujimori, político populista sin programa pero candidato del Ejército, que se alzó finalmente con el triunfo. En 1992 dio un autolgolpe: disolvió el Congreso y asumió todos los poderes. En 1995 ganó de nuevo las elecciones presidenciales, y en diciembre de 1999 anunció su intención de presentarse a las elecciones del año 2000 para un tercer mandato presidencial, contraviniendo así el mandato constitucional. Los medios de comunicación dieron el nombre de "fujimorazo" a este nuevo golpe de fuerza del presidente, que resultó triunfador frente al candidato de la oposición, Alejandro Toledo, en unas elecciones fraudulentas. En septiembre de 2000, tras

Alejandro Toledo es desde el año 2001 nuevo presidente de Perú. Su llegada al poder puso fin, tras una serie de escándalos inverosímiles, a la oscura y corrupta etapa del anterior presidente, Alberto Fujimori.

conocerse que su jefe de espionaje había sobornado a un diputado de la oposición, Fujimori anunció la convocatoria de elecciones, su abandono del poder en julio de 2001 y su vuelta a la escena política en 2006. Sin embargo, en noviembre de 2000, presionado por la opinión pública, por la Organización de Estados Americanos (OEA) y por los Estados Unidos, renunció a la presidencia, de la que se hizo cargo interinamente Valentín Paniagua, quien anunció la creación de un gobierno de unidad nacional presidido por Javier Pérez de Cuéllar y prometió "exaltar, afirmar y consolidar la Constitución como norma de vida". De esta manera terminó la "chinocracia", nombre popular del corrupto régimen político de Fujimori. Alejandro Toledo, jefe del improvisado grupo Perú Posible, se ha alzado con el triunfo en las elecciones de 2001 frente al otro candidato, el expresidente populista Alán García. Toledo, que ha prometido gobernar para todos los peruanos, tiene ante sí la ingente tarea de levantar un país desmoralizado y empobrecido.

Las crisis del Ecuador

Unos militares golpistas destituyeron al presidente Velasco Ibarra en 1972 y en 1976 instituyeron el triunvirato del Consejo Superior de Gobierno. A partir de 1978 dirigieron el país gobiernos de coalición de mayoría izquierdista. Con la elección como presidente de León Febres Cordero (1984), el conservadurismo se instaló en el poder y se pusieron en práctica las recomendaciones neoliberales del Fondo Monetario Internacional.

La negativa del presidente Abdalá Bucaram a aceptar su destitución por el Congreso (1977), que le acusó de incapacidad mental, dio origen a una grave crisis política: durante una semana hubo tres presidentes al mismo tiempo. La crisis se resolvió con la elección de Jamil Mahuad en 1998. El nuevo presidente no consiguió acabar con la corrupción ni detener el deterioro creciente de la economía. A finales de los noventa la inflación era del 65%, el paro afectaba al 80% de la población activa, la deuda externa era similar al PIB y el sucre, la moneda

La crisis del Ecuador

Vista panorámica de Quito.

Ecuador arrastra desde hace unos años una de las situaciones más difíciles de su historia. Miles de ecuatorianos buscan en Europa, en particular en España, una segunda oportunidad que no siempre llega.

nacional, se había devaluado en un 197%. Ante tal situación, Mahuad propuso establecer un cambio fijo para el dólar -"dolarización de la economía"-, provocando con esta medida la ira de extensos sectores sociales, sobre todo de los indígenas. Estos, organizados en la Confederación de Naciones Indígenas, tomaron en enero de 2000 la capital, Quito, y el Congreso, y con el apoyo de unidades militares obligaron al presidente a abandonar el país. Su sucesor, Gustavo Noboa, completó las medidas económicas con una subida de impuestos y con el recorte de los gastos sociales. Hoy día, el 70% de los ecuatorianos son pobres.

Dificultades políticas y económicas en Bolivia

Los golpes militares, muy frecuentes en la historia del país desde su independencia, continuaron hasta las últimas décadas del siglo XX. El programa neoliberal del presidente Jaime Paz Zamora (1989) fracasó por las dificultades para conseguir financiación extranjera, lo que fue compensado con los rendimientos obtenidos del cultivo ilegal de la coca. Hugo Banzer, presidente desde 1997, prometió reducir su área de cultivo, a lo que se oponen los campesinos indígenas, que reclaman la conquista del poder político.

En la actualidad, cerca del 85% de la población de Bolivia está compuesta por indígenas. Esta estatua representa el horror que esa comunidad mostró ante la llegada de los conquistadores.

Violencia en Colombia

El narcotráfico ha adquirido acquired en Colombia unas dimensiones sin precedentes. Tiene ramificaciones en las Fuerzas Armadas y en la Administración y, junto con la acción de las organizaciones clandestinas Ejército de Liberación Nacional (ELN) y Fuerzas Armadas Revolucionarias de Colombia (FARC), constituye el más importante factor desestabilizador de la Colombia contemporánea.

El fracaso de la amnistía concedida granted amnesty (1982) a los guerrilleros que abandonaron la lucha armada marcó el comienzo de una etapa, que se mantiene en nuestros días, de violencia, inseguridad y violación de los derechos humanos. Esta situación es resultado de las conexiones de los grupos guerrilleros con el narcotráfico y de la acción

Violencia en Colombia

antisubversiva de los grupos paramilitares. El líder del grupo paramilitar de extrema derecha "Autodefensas Unidas de Colombia" justifica el uso de la violencia y la califica de mal menor. Andrés Pastrana Arango, presidente desde 1998, se ha propuesto conseguir el desarrollo socioeconómico e instaurar la justicia y la la paz social, y ha solicitado la ayuda internacional para sustituir el cultivo de la coca por cultivos legales. Los dirigentes participantes en la I Cumbre Suramericana, celebrada en Brasilia a comienzos de septiembre de 2000, le dieron su apoyo, pero se mostraron reticentes ante el Plan Colombia, preparado para combatir el narcotráfico con ayuda de los Estados Unidos, por creer que esta intervención extranjera podría desestabilizar la región.

A pesar de que la situación de Colombia es en muchos aspectos dramática, existe la firme voluntad de resolver muchos de los conflictos.

"Los países vecinos a Colombia temen un "desbordamiento" del conflicto colombiano por la multimillonaria ayuda norteamericana. Nada más llegar a Brasilia, el presidente de Venezuela, Hugo Chávez, expresó su preocupación ante la posibilidad de una "vietnamización de la región". "Sería terrible para esta parte del mundo que el conflicto de Colombia sufriera una escalada militar y que el esfuerzo y coraje del presidente Pastrana en el diálogo con la guerrilla se viniera abajo", apuntó Chávez. El presidente de Ecuador, Gustavo Noboa, señaló por su parte que el Plan Colombia tiene "muy preocupada a América y con razón", al mismo tiempo que hizo un llamamiento a Estados Unidos y a Europa para que asuman su responsabilidad como consumidores de estupefacientes".

En "Temor generalizado al Plan Colombia en la I Cumbre Suramericana de Brasil", ABC, 2-9-2000

Venezuela y el populismo

Carlos Andrés Pérez, ganador de las elecciones de 1988, tuvo que suspender (1989) el pago de la deuda externa y cumplir las recomendaciones del Fondo Monetario Internacional. El recorte del gasto público y otras medidas restrictivas desencadenaron fuertes protestas populares, que fueron reprimidas con extrema violencia. Andrés Pérez fue acusado de corrupción y separado de su cargo en 1995. Andrés Caldera, su sucesor, tuvo que hacer frente a una intensa efervescencia social. A instancias de Hugo Chávez, militar populista que fue elegido presidente en diciembre de 1998, los venezolanos aprobaron en 1999 la nueva Constitución, la "Justiciera" o "Bolivariana", que ha sometido el poder civil al militar y ha dado al país el nuevo nombre de República Bolivariana de Venezuela. Chávez ha recuperado la vieja retórica de los líderes populistas y defiende la "democracia participativa frente a la representativa", frase eufemística con la que pretende enmascarar su escasa confianza en un verdadero sistema de libertades.

El centro de Caracas está decorado por artistas cinéticos como Jesús Soto, autor del volumen suspendido del Centro Banven.

México y el triunfo del Partido de Acción Nacional (PAN)

Las corruptelas del Partido Revolucionario Institucional (PRI) invalidaron los esfuerzos realizados para contrarrestar los efectos de las crisis de los años setenta y ochenta. El aumento del paro y el deterioro de la economía ensombrecieron las presidencias de Luis Echeverría (1970-1976), de López Portillo (1976-1982) y de Miguel de La Madrid (1982-1986). En 1982 hubo que devaluar la moneda en un 55% y suspender el pago de la deuda externa. El neoliberal Carlos Salinas de Gortari (1988-1994) privatizó empresas públicas e incorporó el país al Tratado de Libre Comercio. En 1994 comenzó sus acciones el Ejército Zapatista de Liberación Nacional (EZLN) en defensa de los indios de la región de Chiapas. En ese mismo año de 1994 fue elegido presidente Ernesto Zedillo, que prometió equilibrar la economía y obtuvo un sustancioso préstamo del Fondo Monetario Internacional (FMI). En 1996 apareció el Ejército Popular Revolucionario, que asumió la defensa de los marginados y excluidos. México se resintió intensamente de la crisis económica asiática y rusa de 1997. Por vez primera en su historia, en noviembre de 1999 el PRI eligió democráticamente a su candidato para las elecciones presidenciales del año 2000, que fueron ganadas por Vicente Fox Quesada, del Partido de Acción Nacional (PAN), de ideología liberal conservadora. El triunfo de Fox puso fin a la hegemonía del PRI, que por medio del terror y la corrupción -la "dictadura perfecta", en opinión de Mario Vargas Llosa- se ha mantenido en el poder desde 1929. Fox designó un Ejecutivo diverso con el fin de conciliar a las diferentes fuerzas políticas.

La marcha organizada por el subcomandante Marcos sobre la ciudad de México (2001), que tuvo un gran eco internacional y gran apoyo mediático, puso de relieve la actualidad del problema indígena en México, sobre todo en la región de Chiapas, donde el Ejército Zapatista de Liberación Nacional (EZLN) reclama el autogobierno, la propiedad de la tierra y el reconocimiento de las culturas indígenas. La Ley de Derechos y Cultura Indígena, aprobada por el Senado (2001) al objeto de terminar con el conflicto armado en Chiapas, fue rechazada por los líderes indígenas, por considerar que no concede una verdadera autonomía y limita el derecho de autodeterminación.

Detalle de la manifestación zapatista que bajo el lema "Nunca más un México sin nosotros" reunió a más de un millón de personas en el centro de México D.F.

"Todo el mundo habla de Vicente Fox pero casi nadie conoce la historia del partido que lo postuló: el Partido de Acción Nacional. En estos tiempos de creciente convergencia económica y política entre México y España es importante perfilar el origen de este antiguo partido mexicano. Fundado en 1939 por Manuel Gómez Morín, un intelectual de padre español. Su vocación inicial se resumía en un lema casi místico: La política " es una brega de eternidad". La eternidad se adelantó el pasado 2 de julio con el advenimiento -la palabra es apenas excesiva- de la democracia. Con el triunfo de Fox, el PAN ve premiada una larga trayectoria de coherencia democrática. Si relega para siempre sus instintos conservadores en el ámbito de la moral social y de la religión, si se acerca más al legado liberal de Gómez Morín, podrá cumplir a plenitud su vocación original: formar un México no de súbditos sino de ciudadanos".

En "Momento de emergencia",
de Enrique Krauze. ABC. 4-10-2000.

Puerto Rico: debate entre asociación o incorporación a los Estados Unidos

El independentismo apareció en la isla como un eco local del castrismo. Ya no se trataba solamente de elegir entre el mantenimiento del estatuto de asociación libre o la integración plena en los Estados Unidos, sino de optar también por la independencia. El Comité de Descolonización de la ONU definió a Puerto Rico, en 1981, territorio no autogobernado, y en 1989 le reconoció el derecho de autodeterminación. En los plebiscitos celebrados a finales del siglo XX, algo más del 50% de los puertorriqueños se manifestó a favor del mantenimiento del Estatuto de Estado Libre Asociado a los Estados Unidos, un porcentaje algo menor se inclinó por la integración, y sólo el 5% era partidario de la independencia. Por otro lado, los antagonismos políticos se reflejan también en la política lingüística: el gobierno del

Típica imagen de una de las calles más populosas del centro de San José de Puerto Rico.

Partido Popular Democrático declaró el español lengua oficial en 1991; sin embargo, al año siguiente, el gobierno del Partido Nuevo Progresista dispuso la cooficialidad del inglés y del español.

Sila María Calderón, líder del Partido Popular Democrático, opuesto a la conversión de la isla en un Estado norteamericano, ganó en noviembre de 2000 las elecciones para gobernador de Puerto Rico con un 48% de los votos. Carlos Pesquera, partidario de la integración, obtuvo el 45% de los votos.

Panamá recupera la soberanía sobre el Canal

Los panameños han reivindicado siempre la soberanía sobre la Zona del Canal o, en su defecto, la mejora de las condiciones económicas por el uso del mismo. En 1978 negociaron con los Estados Unidos su recuperación, que tuvo lugar el 14 de diciembre de 1999. Los Estados Unidos mantienen, sin embargo, el derecho a intervenir en caso de necesidad. Según el expresidente norteamericano Carter, que asistió a la ceremonia de devolución, "Los tratados le dan a Estados Unidos el deber de defender el canal de agresiones externas, pero se entiende que esto será siempre en cooperación y a petición de Panamá".

La gestión del Canal de Panamá reporta al Estado panameño casi el 6 por ciento de sus ingresos anuales.

PRENSA

"En el año 2000, cerca de 19 mil barcos comerciales transitaron por el Canal, con una carga aproximada de 220 millones de toneladas de peso muerto (dwt). Desde el inicio de operaciones en 1914 hasta el presente, más de 850 mil barcos han preferido la ruta del Canal de Panamá. Las principales rutas que usan el Canal bidireccionalmente son: la costa este de Estados Unidos hacia Asia; la costa oeste de Sur América hacia la costa este de Estados Unidos; la costa oeste de Estados Unidos y Canadá hacia Europa; la costa oeste de Sur América hacia Europa y la costa oeste de Sur América hacia su propia costa este".

En "El Canal y el desarrollo nacional", de Ricardo Martinelli. *La Prensa*, Panamá. 13-08-2001.

IMÁGENES DE AMÉRICA LATINA

La República Dominicana tras la dictadura de Trujillo

Desde la elección de Joaquín Balaguer en 1966, ningún presidente ni ninguna fuerza política han conseguido detener el deterioro creciente de la economía, en la que sólo el sector turístico está en progresión, como tampoco el crecimiento del paro, origen del éxodo masivo de trabajadores, sobre todo a los Estados Unidos. Los candidatos socialdemócratas del Partido Revolucionario Dominicano ganaron las elecciones legislativas y municipales de 1998. En mayo de 2000 ganó las elecciones a la presidencia el socialdemócrata Hipólito Mejías.

Una de las principales fuentes de ingresos de la República Dominicana continúa siendo el turismo. La Reserva Nacional del Este es uno de los lugares más visitados.

Latinoamérica en el umbral del siglo XXI

Los países latinoamericanos no han logrado aún erigirse en verdaderas democracias. Tampoco han resuelto los problemas estructurales que lastran su desarrollo y el bienestar de sus pueblos: injusta distribución de la propiedad y de la riqueza que esta genera, violencia de Estado y de grupos incontrolados, deficiente industrialización, analfabetismo, clientelismo, corrupción administrativa, marginación social y de los indígenas, racismo, endeudamiento externo, dependencia tecnológica, etc. Los populismos, el militarismo y el culto a la personalidad y a los líderes carismáticos están aún presentes en la política de varios países latinoamericanos, a la vez que héroes populares como el subcomandante Marcos continúan despertando entusiasmo, como el "Che" en su época, entre los marginados y entre algunos intelectuales extranjeros. Sorprende observar cómo un continente con tantos recursos humanos y naturales no ha logrado todavía encontrar vías para el desarrollo socioeconómico y la consolidación de la democracia.

PRENSA

"Los relevamientos sobre la violencia criminal y la desigualdad social en América Latina realizados en los últimos años siguen revelando una estrecha relación y una tendencia ascendente sostenida.

El subcontinente, considerado globalmente, es en la actualidad uno de los más violentos y con mayores desigualdades, sólo superado por el África subsahariana.

El informe de la UNESCO, organismo de las Naciones Unidas encargado de la educación, la ciencia y la cultura, ilustra sobre los aspectos más dramáticos que castigan a los sectores sociales más vulnerables.

Los 140 mil latinoamericanos que mueren cada año en asesinatos y ataques callejeros son el testimonio más cruel de la desprotección y la peligrosidad en las que viven grandes ciudades y periferias urbanas.

La brecha creciente entre riqueza y pobreza, el retiro de las instituciones públicas y la crisis de los sistemas y valores tradicionales de cohesión social están entre las causas de esta violencia diseminada.

Se trata de una dura realidad, especialmente porque dichos registros de aumento de la inseguridad coinciden en el tiempo con la democratización política extendida a la casi totalidad de nuestros países.

Además, porque en el mismo período, y con la sola excepción de la guerra entre Perú y Ecuador a mediados de esta década y de Colombia hasta la actualidad, se resolvieron los conflictos entre países y concluyeron antiguas guerras civiles y brutales formas de acción política".

En "Pobreza y violencia en América latina". **Clarín digital.** 9-7-1999.

Latinoamérica en el umbral del siglo XXI

Factores positivos son los efectivos humanos del continente, con extensos sectores adecuadamente formados y profesionalmente cualificados, sus inmensos recursos naturales y energéticos, la gran extensión de sus tierras cultivables y el crecimiento de las inversiones extranjeras. Y lo que es también muy importante, la mayoría de los pueblos iberoamericanos ha identificado sus problemas, conoce sus causas y se esfuerza por encontrar soluciones. La mayoría de los dirigentes latinoamericanos, excepto Fidel Castro, han abandonado la retórica antiimperialista, han apostado por la economía de mercado, por la vinculación al mundo desarrollado y por la democracia. En opinión de algunos analistas, el aumento de las clases medias, la apertura de los mercados, la integración económica regional y los proyectos de integración económica continental permiten, a comienzos del siglo XXI, contemplar con cierto optimismo el futuro.

PRENSA

"En 1906, Carlos Pellegrini, recuerda Ezequiel Gallo en una biografía reciente, temblaba de indignación cuando escuchaba, en el hemisferio norte, calificar despreciativamente nuestros hábitos políticos como propios de "South America". Pese a los cambios del siglo XX y a las pavorosas matanzas europeas con respecto a las cuales nada tuvimos que ver, dicha percepción prosigue vigente. Lamentablemente, no faltan razones.

La más importante, más allá de los desajustes económicos, fiscales y sociales, sigue siendo la ineptitud para forjar en nuestras repúblicas el marco institucional que les garantice estabilidad y certeza. Esta es una cantinela que se repite constantemente, pues cada crisis no es más que la expresión de un largo continuo. Vivimos inmersos en democracias con repúblicas a medio hacer. En nuestras naciones la democracia debe dar a luz la república. Salvo excepciones, todavía no lo ha hecho: no hay, por ahora, virtudes que derroten la venalidad ni leyes efectivas que destierren la impunidad".

En "La crisis como oportunidad". La Nación, 23-9-2000.

"América Latina no quiere ni tiene por qué ser un alfil sin albedrío, ni tiene nada de quimérico que sus designios de independencia y originalidad se conviertan en aspiración occidental. No obstante, los progresos de la navegación que ha reducido tantas distancias entre nuestras Américas y Europa, parecen haber aumentado en cambio nuestra distancia cultural. ¿Por qué la originalidad que se nos admite sin reservas en la literatura se nos niega con toda clase de suspicacias en nuestras tentativas tan difíciles de un cambio social? ¿Por qué pensar que la justicia social que los europeos de avanzada tratan de imponer en sus países, no puede ser también un objetivo latinoamericano con métodos distintos en condiciones diferentes? No: la violencia y el dolor desmesurados de nuestra historia son el resultado de injusticias seculares, amarguras sin cuento, y con una confabulación urdida a tres mil leguas de nuestra casa. Este es, amigos, el tamaño de nuestra soledad. [...]

Ante esta realidad sobrecogedora que a través de todo tiempo debió de parecer una utopía, los inventores de fábulas que todo lo creemos, nos sentimos con el derecho de creer que todavía no es demasiado tarde para emprender la creación de la utopía contraria. Una nueva y arrasadora utopía de la vida donde nadie pueda decidir por nosotros ni la forma de morir, donde de veras sea posible la felicidad, y donde las estirpes condenadas a cien años de soledad tengan por fin y para siempre una segunda oportunidad sobre la tierra".

En "Discurso de recepción del Premio Nobel de Literatura" (1982), de Gabriel García Márquez.

IMÁGENES DE AMÉRICA LATINA

125

Los Estados Latinoamericanos hoy

Fuente:
Anuario Iberoamericano 2001.
Agencia EFE y
Ediciones Pirámide.

Argentina (República Argentina)

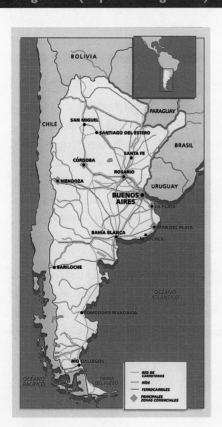

Es el país más meridional del continente americano. La Cordillera de los Andes al Oeste, la meseta de la Patagonia al Sur y las llanuras de la Pampa y del Chaco al Este y al Norte respectivamente son los hechos fundamentales del relieve. Su clima es frío en el Sur, templado en el centro y subtropical en el Norte.

Superficie: 3.761.274 km^2.

Población: 36.578.000 (98% blancos, 1,9% mestizos, 0,1% amerindios).

Densidad de población: 13,1 habitantes por km^2.

Índice de crecimiento demográfico: 1,3% anual.

Esperanza de vida: 73, 1.

PIB por habitante: 7.734 dólares.

Tasa de desempleo: 15,4% (noviembre de 2000).

Capital: Buenos Aires.

Moneda: peso argentino.

Idioma oficial: español.

Agricultura: soja, trigo, maíz. Ganadería: bovina y ovina.

Recursos energéticos y minerales: petróleo, gas natural, hidroelectricidad.

Industrias: agroalimentarias y de material de transporte.

Bolivia (República de Bolivia)

País continental, sin fachada marítima. La región occidental es un macizo montañoso con una altitud media superior a los 3.000 m. La oriental es una extensa llanura amazónica de entre 200 y 500 m de altitud.

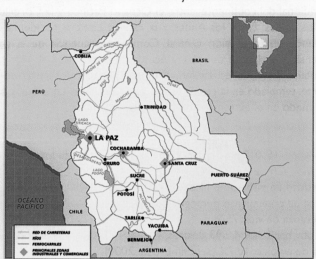

Superficie: 1.098.581 km^2.
Población: 8.143.000 (45% amerindios, 31% mestizos, 15% blancos, 9% otros).
Densidad de población: 7,4 habitantes por km^2.
Índice de crecimiento demográfico: 2,3% anual.
Esperanza de vida: 61,4.
PIB por habitante: 1.019 dólares.
Tasa de desempleo: 14,3%
Capital: Sucre (constitucional). El Gobierno reside en La Paz.
Moneda: boliviano.
Idioma oficial: español, quechua, aymará y guaraní.
Agricultura: maíz, patatas, café, caña de azúcar.
Ganadería: bovina y ovina. El cultivo ilegal de la coca representa alrededor del 15% del PNB.
Recursos mineros: zinc, plata y oro.
Industria: alimentarias y textiles.

Brasil (República Federativa do Brasil)

Es el país más extenso de América Latina y el quinto más extenso del mundo. La mitad meridional es un conjunto de mesetas inclinadas hacia el interior. La mitad norte se corresponde con la llanura fluvial del Amazonas, de escasa altura, recubierta de densa vegetación selvática. El Noreste es semiárido. Clima oceánico, tropical y subtropical.

Superficie: 8.547.403 km^2.
Población: 168.495.000 (53% blancos, 22% mulatos, 11% negros, 0,8% japoneses, 0,1% amerindios, 1,1% otros).
Densidad de población: 19,7 hab. por km^2.
Índice de crecimiento demográfico: 1,38% anual.
Esperanza de vida: 67,9.
PIB por habitante: 3.401 dólares.
Tasa de desempleo: 7,1% (agosto de 2000).
Capital: Brasilia.
Moneda: real brasileño.
Idioma oficial: portugués. Se hablan también, no de manera oficial, diversas lenguas indígenas minoritarias.

Agricultura: maíz, arroz, cacao, café (primer productor mundial). Grandes reservas de madera en la Amazonia.
Ganadería: bovina. Grandes recursos pesqueros marítimos y fluviales.
Recursos energéticos y minerales: petróleo, gas natural, hidroelectricidad, hierro, oro.
Industrias: de maquinaria y material de transporte, agroalimentarias y químicas.

IMÁGENES DE AMÉRICA LATINA

Chile (República de Chile)

Chile es una estrecha y alargada franja de tierra de 4. 300 km de longitud y entre 100 y 200 km de anchura, situada en el extremo meridional del continente, entre el Océano Pacífico y la Cordillera de los Andes. Entre los Andes y la cadena costera occidental se extiende una depresión central. Como consecuencia de la gran extensión en latitud del país y de su situación entre el mar y la montaña, su clima es extremadamente variado, desértico en el Norte, templado en la región de Santiago, oceánico en el Sur y frío y húmedo en el extremo meridional.

Superficie: 756. 626 km^2.
Población: 15. 018. 000. (Prácticamente la totalidad de los chilenos son de raza blanca.)
Densidad de población: 19,8 por km^2.
Índice de crecimiento demográfico: 1,32% anual.
Esperanza de vida: 75,2.
PIB por habitante: 4. 593 dólares.
Tasa de empleo: 10,7% (septiembre de 2000).
Capital: Santiago.
Moneda: Peso chileno.
Idioma oficial: español.
Agricultura: cereales y vid.
Ganadería: bovina. Notables recursos pesqueros.
Recursos energéticos y minerales: hidroelectricidad, cobre, plata, oro, zinc.
Industria: de transformación y alimentarias.

Colombia (República de Colombia)

País situado en el extremo noroccidental de los Andes. Está recorrido en dirección norte/sur por el río Magdalena. Tres cadenas montañosas separan el litoral, pantanoso y húmedo, de la región oriental, cubierta de selvas amazónicas.

Superficie: 1.141.748 km^2.
Población: 41.566.000 (50% mestizos, 22% blancos, 20% mulatos, 6% negros, 2% indígenas).
Densidad de población: 36,4 por km^2.
Índice de crecimiento demográfico: 1,9% anual.
Esperanza de vida: 70,7.
PIB por habitante: 2.139 dólares.
Tasa de desempleo: 20,4% (junio de 2000).
Capital: Santafé de Bogotá.
Moneda: peso.
Idioma oficial: español.
Agricultura: café (segundo productor mundial).
Ganadería: bovina.
Recursos energéticos y minerales: petróleo, carbón, gas natural, oro.
Industrias: agroalimentarias y textiles.

Costa Rica (República de Costa Rica)

País centroamericano montañoso al Oeste y de llanuras costeras al Este.

Superficie: 51.100 km^2.
Población: 3.933.000 (86,8% blancos, 7% mestizos, 6,2% otros).
Densidad de población: 76,9 habitantes por km^2.
Índice de crecimiento demográfico: 2,5% anual.
Esperanza de vida: 76,5.
PIB por habitante: 3.864 dólares.
Tasa de desempleo: 5,2% (julio de 2000).
Capital: San José.
Moneda: colón costarricense.
Idioma oficial: español.

Agricultura: café, cacao, plátanos, madera.
Recursos energéticos y minerales: petróleo, gas natural, hidroelectricidad, diamantes.
Industrias: agroalimentarias y textiles.

Cuba (República de Cuba)

Isla de clima tropical y relieve de llanuras y mesetas calcáreas, excepto en la zona montañosa del Noreste.

Superficie: 110.922 km^2.
Población: 11.159.000 (66% blancos, 21,9% mulatos, 12% negros, 0,1% chinos).
Densidad de población: 100,6 habitantes por km^2.
Índice de crecimiento demográfico: 0,4% anual.
Esperanza de vida: 76,0.
PIB por habitante: 1.980 dólares.
Tasa de desempleo: 6,2% (agosto de 2000)
Capital: La Habana.
Moneda: Peso cubano.
Idioma oficial: español.
Agricultura: caña de azúcar (sexto productor mundial), arroz, tabaco, frutas tropicales, madera.
Ganadería: bovina.
Recursos energéticos y mineros: níquel, petróleo.
Industria: farmacéutica.

IMÁGENES DE AMÉRICA LATINA

Ecuador (República del Ecuador)

Está situado en la costa del Pacífico. La Cordillera de los Andes separa la llanura litoral de la oriental, amazónica y húmeda.

Superficie: 256.370 km^2.

Población: 12.411.000 (51,5% amerindios, 40% mestizos, 8% blancos, 0,5% otros).

Densidad de población: 48,4 habitantes por km^2.

Índice de crecimiento demográfico: 2,0% anual.

Esperanza de vida: 69,9.

PIB por habitante: 1.109 dólares.

Tasa de desempleo: 15,1% (diciembre de 1999).

Capital: Quito.

Moneda: sucre.

Idioma oficial: español.

Agricultura: maíz, café, cacao, plátanos y madera. Importantes recursos pesqueros, gambas sobre todo.

Recursos energéticos y minerales: petróleo, hidroelectricidad, oro.

Industrias: agroalimentarias.

El Salvador (República de El Salvador)

País centroamericano de relieve volcánico y clima tropical.

Superficie: 21.040 km^2.

Población: 6.154.000 (94% mestizos, 5% amerindios, 1% blancos).

Densidad de población: 292,5 habitantes por km^2.

Índice de crecimiento demográfico: 2,0% anual.

Esperanza de vida: 69,4.

PIB por habitante: 2.026 dólares.

Tasa de desempleo: 7,0% (1998).

Capital: San Salvador.

Moneda: colón salvadoreño.

Idioma oficial: español.

Agricultura: caña de azúcar, maíz, café, madera.

Recursos energéticos y minerales: hidroelectricidad y electricidad geotérmica.

Industrias: agroalimentarias.

IMÁGENES DE AMÉRICA LATINA

Guatemala (República de Guatemala)

País centroamericano de montañas volcánicas al Sur y mesetas al Norte.

Superficie: 108.890 km^2.
Población: 11.090.000 (53% amerindios, 42% mestizos, 4% blancos, 1% otros).
Densidad de población: 101,8 habitantes por km^2.
Índice de crecimiento demográfico: 2,6% anual.
Esperanza de vida: 64,2.
PIB por habitante: 1.631 dólares.
Tasa de desempleo: 1,9% (1999).
Capital: Ciudad de Guatemala.
Moneda: quetzal.
Idioma oficial: español. Se hablan además 23 idiomas indios (quiché, cakchiquel y mam, sobre todo).
Agricultura: plátanos, maíz, café, algodón, caña de azúcar, madera.
Recursos energéticos y minerales: petróleo, hidroelectricidad.
Industrias: agroalimentarias, farmacéuticas y químicas.

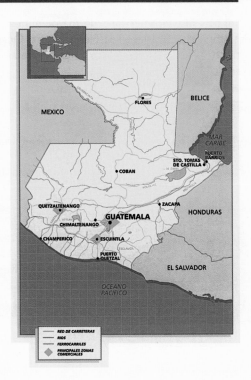

Honduras (República de Honduras)

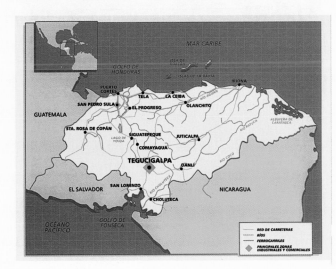

País centroamericano montañoso y de clima tropical.

Superficie: 112.492 km^2.
Población: 6.316.000 (83% mestizos, 5% negros, 10% amerindios, 2% blancos).
Densidad de población: 56,1 habitantes por km^2.
Índice de crecimiento demográfico: 2,7% anual.
Esperanza de vida: 69,8.
PIB por habitante: 855 dólares.
Tasa de desempleo: 3,7% (1999).
Capital: Tegucigalpa.
Moneda: lempira.
Idioma oficial: español.
Agricultura: maíz, plátanos, café, madera.
Ganadería: bovina.
Recursos energéticos y minerales: hidro-electricidad, plata, plomo.
Industrias: agroalimentarias y textiles.

IMÁGENES DE AMÉRICA LATINA

México (Estados Unidos Mexicanos)

Es el país hispanoamericano de mayor número de habitantes. En su relieve, de 1.000 m de altitud media, destacan las cordilleras de Sierra Madre Occidental y Sierra Madre Oriental, la gran meseta central, las estrechas llanuras litorales, las áridas mesetas del Norte, los macizos montañosos del Sur y la península granítica del Yucatán al Este.

Superficie: 1.958.201 km^2.
Población: 97.367.000 (55% mestizos, 30% amerindios, 15% blancos).
Densidad de población: 49,7 habitantes por km^2.
Índice de crecimiento demográfico: 1,6% anual.
Esperanza de vida: 72,4.
PIB por habitante: 5.057 dólares.
Tasa de desempleo: 2,2% (junio de 2000).
Capital: Ciudad de México.
Moneda: peso mexicano.
Idioma oficial: español.
Se hablan varias lenguas indígenas.
Agricultura: cereales, madera.
Ganadería: bovina.
Recursos energéticos: petróleo (sexto productor mundial) y gas natural.
Industrias: de transformación, agroalimentarias, mecánicas y textiles.

Nicaragua (República de Nicaragua)

País centroamericano de interior montañoso y llanuras litorales.

Superficie: 121.428 km^2.
Población: 4.933.000 (69% mestizos, 14% blancos, 8% negros, 5% zambos, 4% amerindios).
Densidad de población: 40,6 habitantes por km^2.
Índice de crecimiento demográfico: 2,7% anual.
Esperanza de vida: 68, 2.
PIB por habitante: 465 dólares.
Tasa de desempleo: 10,7% (1999).
Capital: Managua.
Moneda: córdoba oro.
Idioma oficial: español.
Agricultura: maíz, caña de azúcar, madera.
Ganadería: bovina.
Recursos energéticos y minerales: hidroelectricidad, oro, zinc, cobre, plata.
Industrias: agroalimentarias y textiles.

Panamá (República de Panamá)

País centroamericano de interior montañoso y llanuras costeras.

Superficie: 74.979 km^2.
Población: 2.815.644 (59,5% mestizos,
14% negros, 12% blancos, 7,5% amerindios,
4% orientales, 3% otros).
Densidad de población: 37,6 habitantes por km^2.
Índice de crecimiento demográfico: 1,6% anual.
Esperanza de vida: 74,0.
PIB por habitante: 3.397 dólares.
Tasa de desempleo: 11,6% (1999).
Capital: Ciudad de Panamá.
Moneda: balboa.
Idioma oficial: español.
Agricultura: maíz, caña de azúcar, madera.
Recursos energéticos y minerales: hidroelectricidad, cobre.
Industria: agroalimentaria.

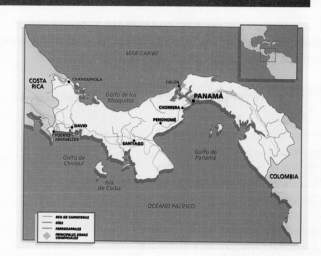

Paraguay (República de Paraguay)

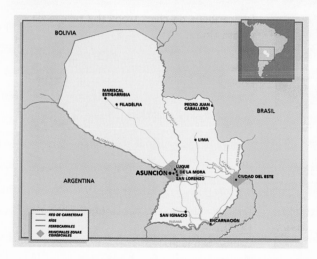

País situado en el interior del continente. Relieve de escasos accidentes y poca altura. Clima semiárido en el Chaco y amazónico en el resto del país.

Superficie: 406.752 km^2.
Población: 5.359.000 (90,8% mestizos,
3% amerindios, 1,7% alemanes, 4,5% otros).
Densidad de población: 13,1 habitantes por km^2.
Índice de crecimiento demográfico: 2,6% anual.
Esperanza de vida: 69,7.
PIB por habitante: 1.532 dólares.
Tasa de desempleo: 13,5% (1998).
Capital: Asunción.
Moneda: guaraní paraguayo.
Lenguas: español y guaraní.
Agricultura: soja, algodón, maíz, madera.
Ganadería: bovina. Grandes recursos pesqueros.
Gran producción de energía hidroeléctrica.
Industrias: agroalimentarias.

IMÁGENES DE AMÉRICA LATINA

Perú (República del Perú)

Lo forman tres zonas bien diferenciadas: la llanura litoral, de clima desértico; la región montañosa de los Andes, en el centro, con alturas superiores a los 4. 000 m, y, al oriente, la amazónica, casi la mitad del país, húmeda y cubierta de densa vegetación.

Superficie: 1.285.216 km^2.
Población: 25.661.690 (54,2% amerindios, 32% mestizos, 12% blancos, 1,8% otros).
Índice de crecimiento demográfico: 1,7% anual.
Esperanza de vida: 68, 3.
PIB por habitante: 2.050 dólares.
Tasa de desempleo: 7,2% (diciembre de 1999).
Capital: Lima.
Moneda: sol.
Idioma oficial: español y quechua.
Agricultura: maíz, arroz y madera. El cultivo ilegal de la coca supone alrededor del 4% del PIB. Grandes recursos pesqueros -segundo productor mundial-.
Recursos energéticos y mineros: petróleo, gas natural, plata, oro, cobre, zinc, hierro, plomo.
Industrias: de harina de pescado y de tratamiento de minerales.

Puerto Rico (Estado Libre Asociado de Puerto Rico)

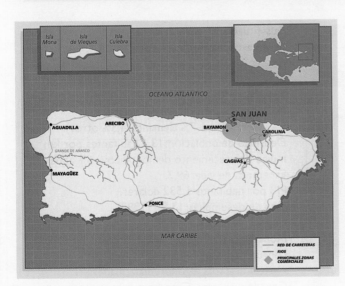

Isla caribeña de clima tropical y relieve de escasa altura.

Superficie: 8.897 km^2.
Población: 3.850.000 (75% blancos, 15% negros, 10% mulatos).
Densidad de población: 432,7 habitantes por km^2.
Índice de crecimiento demográfico: 0,8% anual.
Esperanza de vida: 74.
PIB por habitante: 9.930 dólares.
Tasa de desempleo: 12,5% (diciembre de 1999).
Capital: San Juan.
Moneda: dólar de Estados Unidos.
Idioma oficial: español e inglés.
Agricultura: café, caña de azúcar, cacao, tabaco.
Industrias: químicas.

IMÁGENES DE AMÉRICA LATINA

República Dominicana

Su territorio comprende la parte oriental de la isla de Santo Domingo o Haití. Su relieve es montañoso al Oeste y llano y mesetario al Este.

Superficie: 48.808 km^2.
Población: 8.364.000 (75% mulatos, 15% blancos, 10% negros).
Densidad de población: 171,3 habitantes por km^2.
Índice de crecimiento demográfico: 1,6% anual.
Esperanza de vida: 71,0.
PIB por habitante: 2.110 dólares.
Tasa de desempleo: 16,6% (1999).
Capital: Santo Domingo.
Moneda: peso dominicano.
Idioma oficial: español.
Agricultura: caña de azúcar, café, cacao, tabaco, madera.
Recursos energéticos y minerales: níquel.
Industrias: agroalimentarias. Turismo en progresión.

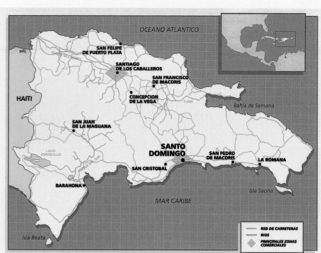

Uruguay (República Oriental del Uruguay)

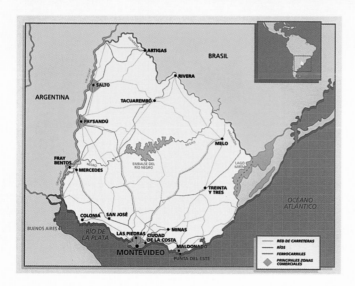

Es el país más pequeño de Iberoamérica. Su territorio es una extensa meseta granítica de escasa altura, abierta a las influencias del Atlántico y de clima templado.

Superficie: 176.215 km^2.
Población: 3.313.000 (90,2% blancos, 3% mestizos, 1,2 mulatos, 5,6% otros).
Densidad de población: 18,8 habitantes por km^2.
Índice de crecimiento demográfico: 0,7% anual.
Esperanza de vida: 74,1.
PIB por habitante: 6.418 dólares.
Tasa de desempleo: 14,4% (noviembre de 2000).
Capital: Montevideo.

Moneda: peso uruguayo.
Idioma oficial: español.
Agricultura: trigo, arroz y maíz. Grandes recursos madereros.
Ganadería: ovina y bovina. Industria: agroalimentaria.

IMÁGENES DE AMÉRICA LATINA

Venezuela (República Bolivariana de Venezuela)

País situado al noreste del subcontinente. La extensa llanura fluvial del Orinoco (Los Llanos) separa los Andes de la cadena montañosa de la Guayana venezolana.

Superficie: 916.445 km^2.
Población: 23.707.000 (69% mestizos, 20% blancos, 9% negros, 2% amerindios).
Densidad de población: 25,8 habitantes por km^2.
Índice de crecimiento demográfico: 2,0% anual.
Esperanza de vida: 72,8.
PIB por habitante: 4.158 dólares.
Tasa de desempleo: 14,5% (1999).
Capital: Caracas.
Moneda: bolívar.

Idioma oficial: español.
Agricultura: maíz, café, arroz y madera.
Ganadería: bovina.
Recursos energéticos y minerales: petróleo, gas natural, carbón, bauxita.
Industrias: agroalimentarias, químicas y de material de transporte.

 # Bibliografía

ALCÁNTARA SÁEZ, M. (1984). *Sistemas políticos de América Latina, 1850-1930*. Barcelona. Crítica.

ALCINA FRANCH, J. (1985). *Los orígenes de América*, Madrid. Alhambra. 1985.

AGENCIA EFE (2001). *Anuario Iberoamericano 2001*. Madrid. Ediciones Pirámide.

BALLESTEROS GAIBROIS, M. (1989). *Historia de América*. Madrid. Ediciones Istmo.

BAREIRO SAGUIER, R. y DUVIOLS, J.P. (1991). *Tentación de la utopía. Las Misiones Jesuíticas del Paraguay*. Barcelona. Tusquets/Círculo de Lectores.

BASTIAN, J. P. (1997). *La mutación religiosa de América Latina*. México. Fondo de Cultura Económica.

BELLINI, G. (1997). *Nueva historia de la literatura hispanoamericana*. Madrid. Castalia.

BENÍTEZ, J.A. (1977). *Las Antillas: colonización, azúcar e imperialismo*. La Habana. Casa de las Américas.

BETHELL, L. (1990). *Historia de América Latina*. Barcelona. Crítica/Cambridge University Press.

BEYHAUT, G. y H. (1986). *América Latina. III. De la independencia a la Segunda Guerra Mundial*, en Historia Universal Siglo XXI. Madrid. Siglo XXI de España Editores, S.A.

BURGOS, E. (1992). *Me llamo Rigoberta Menchú y así me nació la conciencia*. Barcelona. Seix Barral.

CARDOSO, C. y PÉREZ BRIGNOLI, H. (1979). *Historia económica de América Latina*. Barcelona. Crítica.

CÉSPEDES, G. (1988). *La independencia de Iberoamérica*. Madrid. Anaya. 1988.

COE, M., SNOW, D. y BENSON, E. (1989). *América Antigua*. Barcelona. Folio.

COVO, J. (1995). *América Latina*. Madrid. Acento Editorial.

CHAUNU, P. (1997). *Historia de América Latina*. Buenos Aires. Editorial Universitaria de Buenos Aires.

DUTRENT, S. et al. (1989). *El impacto político de la crisis del 29 en América Latina*. México. Alianza Editorial Mexicana.

ELLIOTT, J.H. (1997). *El Viejo Mundo y el Nuevo*. Madrid. Alianza Editorial.

FAVRE, H. (1998). *El indigenismo*. México. Fondo de Cultura Económica.

FLORES GALINDO, A. (1984). *Aristocracia y plebe*. Lima, 1760-1830. Lima. Mosca Azul Editores.

GARCÍA MAY, P. P. (1998). *Antiguos Mitos Americanos*. Madrid. Acento Editorial.

GUY, A. (1997). *La filosofía en América Latina*. Madrid. Acento Editorial.

HALPERIN DONGHI, T. (1998). *Historia Contemporánea de América Latina*. Madrid. Alianza Editorial.

HERNÁNDEZ SÁNCHEZ-BARBA, M. (1988). *Formación de las naciones americanas (siglo XIX)*. Madrid. Anaya.

HERNÁNDEZ SÁNCHEZ-BARBA, M. (1988). *Iberoamérica en el siglo XX. Dictaduras y revoluciones*. Madrid. Anaya.

KIRKPATRICK, F.A. (1999). *Los conquistadores españoles*. Madrid. Rialp.

KLEIN, H. S. (1986). *La esclavitud africana en América Latina y el Caribe*. Madrid. Alianza Editorial.

LAVIANA CUETOS, M. L. (1996). *América española, 1492-1898. De las Indias a nuestra América*. Madrid. Historia 16 - Temas de Hoy.

LÓPEZ MORALES, H. (1998). *La aventura del español en América*. Madrid. Espasa-Calpe.

LUCENA SALMORAL, M. (coor.) (1990). *Historia de Iberoamérica*. Madrid. Cátedra.

LYNCH, J. (1976). *Las revoluciones hispanoamericanas, 1808-1826*. Barcelona. Ariel.

MALAMUD, C. (1999). *América Latina. Siglo XX. La búsqueda de la democracia*. Madrid. Síntesis.

MARCO, J. (1989). *Literatura hispanoamericana: del Modernismo a nuestros días*. Madrid. Espasa Calpe.

MARICHAL, C. (1988), *Historia de la deuda externa de América Latina*. Madrid. Alianza Editorial.

MELGAR BAO, R. (1988). *El movimiento obrero latino-americano*. Madrid. Alianza América.

 # Bibliografía

NAVARRO GARCÍA, L. (1991). *Historia de las Américas*. Madrid. Alhambra Longman/Universidad de Sevilla.

NAVARRO GARCÍA, L. (1992). *Las claves de la colonización española en el Nuevo Mundo, 1492-1824*. Barcelona. Planeta.

PANO GARCÍA, J. L. (1997). *Lo mejor del arte precolombino*. Madrid. Historia 16.

RAMOS, D. (1998). *Genocidio y conquista: viejos mitos que siguen en pie*. Madrid. Real Academia de la Historia.

Revista "Tiempo", Especial Latinoamérica. La gran apuesta española, 26 de julio de 1999.

REYNA, J.L. (1995). *América Latina a final de siglo*. México. Fondo de Cultura Económica.

RIVERA, M. y VIDAL LORENZO, C. (1994). *Arqueología americana*. Madrid. Síntesis.

ROUQUIÉ, A. (coor.) (1994). *Las fuerzas políticas en América Central*. México. Fondo de Cultura Económica.

SCHOBINGER, J. (1988). *Prehistoria de Sudamérica: culturas precerámicas*. Madrid. Alianza Editorial.

SOSNOWSKI, S. y PATIÑO, R (comp.) (1999). *Una cultura para la democracia en América Latina*. México. Fondo de Cultura Económica.

THOMAS, H. (1973). *Cuba: la lucha por la libertad*. Barcelona. Grijalbo.

VILAR, M. (2000). *El español, segunda lengua en los Estados Unidos*. Servicio de Publicaciones de la Universidad de Murcia. Murcia.

VV.AA. (1998), *El 98 iberoamericano*. Madrid. Ed. Pablo Iglesias.

ZARAGOZA, G. (1992). *América Latina. Época colonial*. Madrid. Anaya.